S0-BKL-406

SZWEDZKI
SEKRET
DOBREGO ŻYCIA

LAGOM

LOLA A. ÅKERSTRÖM

PRZEŁOŻYŁA
NATALIA MĘTRAK-RUDA

MARGINESY

Dla mojego kochanego męża i dzieci,
którzy dają mi radość i miłość,
sprawiając, że życie ma sens.

OD AUTORKI

„Cnota tkwi w skromności".

Przysłowie szwedzkie

Po raz pierwszy wyczułam ten niesprecyzowany etos wiele lat temu, podczas kolacji ze skrzypkami i kontrabasistami, występującymi między innymi w sztokholmskiej filharmonii i radiowej orkiestrze symfonicznej. To ludzie, którzy czasem w ciągu jednego tygodnia grają na ceremoniach wręczenia Nagrody Nobla i na prywatnych koncertach dla szwedzkiej rodziny królewskiej.

Nie pasowałam do tego towarzystwa. Byłam outsiderką, zaproszoną na dość swobodne spotkanie, na którym panował niepisany dress code: wytarte dżinsy, luźne topy dla kobiet i nieco bardziej dopasowane fasony dla mężczyzn. Stopy kryły się w ciepłych, wełnianych skarpetach.

Wszystko zdawała się spowijać atmosfera powściągliwości. Nikt bez powodu nie chwalił się osiągnięciami, nikt nie dzielił się informacjami na swój temat, póki nie został o to poproszony. Choć członkowie grupy, znający cały świat globtroterzy, władali średnio trzema językami, mówili lekceważąco o swoich umiejętnościach, przypominając, że nie są native speakerami. Kilkakrotnie żarty ustawały, ustępując miejsca przedłużającej się ciszy, a my czuliśmy się w niej całkiem swobodnie. Małe mieszkanie, w którym siedzieliśmy, wypełniało ciepło i zadowolenie.

W tym właśnie momencie lagom pierwszy raz wyłonił się z cienia i wniknął w moją podświadomość świeżo upieczonej mieszkanki Szwecji. Wciąż jednak myślałam, że ta atmosfera wynikała ze skromności bliskich przyjaciół, którzy po prostu dobrze się znali i nie czuli potrzeby, by się chwalić czy dominować.

A jednak znów dostrzegłam „to coś" w zupełnie innym miejscu i wtedy zrozumiałam, że to także niejednorodny, ale powszechny kodeks postępowania, który można nazwać „stosownością".

Znalazłam się kiedyś w grupie pasażerów, którzy przylecieli do Sztokholmu ze szwedzkiej Laponii. Wszyscy w milczeniu czekali przy taśmie na opóźniony bagaż. Znajomi rozmawiali, ale obcy sobie ludzie nie wchodzili w żadną interakcję przez prawie pół godziny – spóźnienie wyjątkowo się przedłużało. Gdyby to wydarzyło się gdzie indziej, zagadnęłabym któregoś z podróżnych i wspólnie głośno narzekalibyśmy na zaistniałą sytuację.

Ale tu, w szwedzkim ekosystemie, wygłaszanie podobnych oczywistości wydawało się niepotrzebne.

Jeszcze lepiej zrozumiałam tę ideę, kiedy spóźniałam się na lekcję szwedzkiego. Przygotowałam wyjaśnienie, zamierzając przedstawić je nauczycielce. „Nie trzeba – powstrzymała mnie od razu. – Nie musisz się tłumaczyć. Po prostu przeproś za spóźnienie". Nie musiałam udzielać więcej informacji, niż było to konieczne.

Zwłaszcza gdy o nic mnie nie pytano.

Przypomniałam sobie wtedy kolację z muzykami i dostrzegłam regułę w całej jej wyrazistości. Z czasem to, co początkowo było dla mnie czymś ukrytym i tajemniczym, zmieniło się w niewidzialnego anioła stróża, szepczącego do ucha podpowiedzi.

„Odwzajemniaj przysługi, dawaj tyle, o ile cię proszą".

Przysłowie szwedzkie

„Nie za dużo, nie za mało, w sam raz".

Nie przeciętność. Nie bylejakość. Nie samozadowolenie. W sam raz.

To rozróżnienie pozostaje ukrytą siłą lagom, rozumianego jako podstawa stylu życia, który opiera się na równowadze pomiędzy dawaniem i braniem, pomiędzy indywidualnością a dynamiką grupy.

Słyszałam o tej zasadzie o wiele wcześniej, jeszcze zanim wiele lat temu przeprowadziłam się do Szwecji, a zanurzając się głębiej w szwedzką kulturę, przyjęłam lagom jako podstawę w wielu sferach życia. Książka ta jest odbiciem szczególnej perspektywy – połączenia obiektywizmu osoby patrzącej z zewnątrz i subiektywnego punktu widzenia, który zrodził się z mojego intymnego związku ze Szwecją.

Lagom to znacznie więcej niż tylko zwykły umiar, z którym często wiązane jest to pojęcie.

W niniejszej książce postaram się pokazać, że to niepozorne słówko nie tylko przenika szwedzką psyche (co wyraża się między innymi w starych przysłowiach), ale może też stać się drogowskazem, który pokieruje was w stronę bardziej zrównoważonego życia.

Nie tylko zresztą zrównoważonego, ale i doskonale harmonijnego.

L
A
G
O

M

WSTĘP

+

ZASTOSOWANIE

„Właściwa ilość to najlepsza ilość".

Przysłowie szwedzkie

Żyjemy w czasach niepotrzebnego napięcia, które wymaga od nas nieustannego podłączenia do sieci i połączenia z resztą świata, bycia na bieżąco z pojawiającymi się co chwilę newsami i dotrzymywania kroku pędzącemu z zawrotną prędkością postępowi technologicznemu, zmianom stylu życia i kulturowych norm.

Poruszamy się w nienaturalnym tempie, starając się nadążać za innymi, nie stracić swojej pozycji i nie trafić na boczny tor. Wciąż czujemy wewnętrzne napięcie, poddani presji otoczenia – pracy, zabawy, wzajemnych kontaktów i relacji społecznych. Nieustannie zbaczamy z naszych naturalnych, życiowych szlaków, aż przychodzi moment, kiedy musimy się zresetować.

Odłączamy się więc, odtruwamy i odgradzamy od świata, próbując się zrelaksować, odzyskać siły i poddać się emocjonalnej, mentalnej i fizycznej odnowie. Jakkolwiek jednak ożywcze byłyby te rozwiązania w momencie, gdy je stosujemy, są często chwilowe i ulotne. Nieprzerwanie poszukując nowych sposobów uzyskania równowagi i zbliżenia się do naszego „szczęśliwego optimum", często opuszczamy bezpieczne schronienia, by uczyć się i czerpać pomysły od innych.

W czym warto naśladować ludzi z różnych stron świata? Co zaś robią źle, czego my moglibyśmy uniknąć?

Szwedzkie słowo *lagom* stało się nowym, chętnie wcielanym w życie trendem. Nie po raz pierwszy zresztą pożyczamy obce słowa z innych kultur, traktując je jako inspirację, mającą pomóc nam się skoncentrować i wrócić na właściwą ścieżkę...

Pochodzące z języka suahili hasło „hakuna matata" oznacza „nie martw się". Zachęca do spojrzenia z dystansu, podpowiada, że powinniśmy wpuścić do naszego życia więcej spokoju, wydostając się z twardych skorup. Nie znaczy to, że należy do każdej sytuacji podchodzić beztrosko, ale raczej, że warto zrobić krok w tył, by spojrzeć z dystansu, zamiast robić z igły widły.

Carpe diem, łacińskie „chwytaj dzień", sugeruje, byśmy wykorzystywali nadarzające się okazje i cieszyli się dniem dzisiejszym, bo jutra może nie być. Przyszłość nie jest czymś zagwarantowanym, powinniśmy więc wypełniać każdy dzień ważnymi doświadczeniami.

Niemieckie słowo *Fernweh* oznacza zamiłowanie do wędrówek i pragnienie podróżowania, nieustanną potrzebę bycia gdzie indziej, w nowym, obcym miejscu. To siła, która wyciąga nas z bezpiecznych myślowych kolein i pcha na poszukiwanie nieznanego.

Kuzyni z Danii dali nam *hygge* – przytulność, intymność i relaks w towarzystwie najbliższych i w samotności – gdy jednak spojrzymy głębiej, okaże się, że to także stan zadowolenia i radości w konkretnych momentach życia.

Teraz Szwedzi ofiarowali słowo *lagom*.

Pojęcie to jest kluczem do tajemnicy nordyckiego sposobu myślenia, to sama istota tego, co to znaczy być Szwedem i żyć jak Szwed, wyjaśnienie sekretu szwedzkiego stylu życia, świadomości społecznej, umiaru i stabilności.

Jak z powodzeniem wprowadzić lagom w życie i czego możemy się dzięki niemu nauczyć?

Dlaczego przez wieki Szwedzi powtarzali stare przysłowie „lagom jest najlepszy"?

I co to słowo tak naprawdę oznacza?

DEFINIUJĄC NIEDEFINIOWALNE

Po pierwsze, musimy nauczyć się, jak poprawnie to słowo wymawiać. W przybliżeniu brzmi to jak „la-goom", z przedłużeniem pierwszej sylaby i akcentem na długie o.

Po drugie, trzeba pogodzić się z tym, że nie ma dokładnej definicji pojęcia lagom – jest za to wiele różnych tłumaczeń, które starają się oddać znaczenie tego szwedzkiego słowa. Można powiedzieć „w sam raz" czy „wszystko z umiarem", co niesie z sobą poczucie stosowności. Gdy zaś sięga się głębiej, pojawiają się takie odpowiedniki jak skromność, brak przesady, niepotrzebnej wylewności i nieuzasadnionej krzykliwości.

Synonimy to na przykład: wystarczająco dużo, akurat, umiarkowanie, stosownie, właściwie, rozsądnie, średnio, w sam raz, złoty środek, równowaga, precyzja, harmonia...

Lagom to jednak znacznie więcej niż jeden z licznych wyrazów bliskoznacznych oznaczających umiar. W swym najpełniejszym znaczeniu lagom odnosi się do czegoś zbliżającego się do doskonałości i satysfakcji, tak bardzo, jak to tylko możliwe.

Lagom nie oznacza nieosiągalnej „doskonałości", lecz raczej rozwiązanie optymalne, najbardziej harmonijny sposób, w jaki możemy i powinniśmy działać. Jest jak podświadome marzenie o idealnej sytuacji, gdy konkretna decyzja, jaką podejmujemy w danej chwili, jest najlepsza dla nas jako jednostek lub grup, do których przynależymy.

Gdy próbuje się dotrzeć do esencji lagom, można powiedzieć, że pojęcie to oznacza poszukiwanie życiowej harmonii, która, gdy odnieść ją do wszystkich aspektów egzystencji, prowadzi ku funkcjonowaniu w najbardziej swobodnym, naturalnym stanie umysłu.

W baśni brytyjskiego pisarza Roberta Southeya *Złotowłosa i trzy niedźwiadki* główna bohaterka szuka krzesła, łóżka i miski owsianki, które byłyby dla niej „w sam raz". Tata miś i mama miś zapewne uważali, że ich talerze owsianki są dla nich lagom, ale czytelnik nie zastanawia się nad tym, skupiając uwagę na doskonałej porcji dla Złotowłosej.

Poziom lagom może być inny dla różnych ludzi: moje zadowolenie będzie odmienne od twojego, ale koniec końców oboje mamy być usatysfakcjonowani. Lagom symbolizuje optymalny punkt czy też złoty środek, a co ważniejsze, zachęca do działania w takiej sferze, która jest dla ciebie odpowiednia.

JAK UŻYWAĆ SŁOWA LAGOM W JĘZYKU CODZIENNYM

Lagom umacnia szwedzką mentalność. Najczęściej używa się tego słowa jako przysłówka lub przymiotnika, bardzo rzadko w rzeczownikowej formie *lagomet*, oznaczającej „równowagę" czy „spokój".

Pojawienie się tego wyrazu w zdaniu zmienia sens wypowiedzi. Obecność słowa *lagom* w rozmowie sygnalizuje słuchaczowi, że do jakiejkolwiek sytuacji odnosiłby się mówiący, należy pojmować ją w świetle zasady „optymalnie" czy „w sam raz".

Gdybym, na przykład, opisała wam coś jako lagom, moje wyobrażenie „doskonałego" stanu nie musiałoby odpowiadać waszemu. A jednak słowo to natychmiast łączy nasze rozumienie ideału i przenosi w odpowiednią przestrzeń porozumienia.

Innymi słowy, moje lagom nie musi być waszym lagom, ale wszyscy powinniśmy móc działać w najlepszy dla nas sposób.

I to jest właśnie piękno lagom w całej swojej istocie.

Jako przysłówek

Użyte jako przysłówek, zmienia czasowniki, przymiotniki i inne przysłówki, świadomie zachęcając słuchacza, by pojmował rozmowę w kategoriach mierzących „optymalność".

Gdybym, na przykład, powiedziała:

Maten är lagom saltad – „Jedzenie jest odpowiednio posolone"... jak dla mnie – ty, jako słuchacz, możesz wyobrazić sobie odpowiedni dla siebie poziom „słoności". Być może moje podniebienie woli bardziej słoną wersję, ale ważne, że rozumiesz kontekst.

Festen var lagom stor – „Impreza była odpowiedniej wielkości"... na tyle duża, że w razie potrzeby mogłam się schować i podpierać ścianę,

ale na tyle kameralna, bym czuła się intymnie i przytulnie wśród pozostałych gości.

Det är lagom varmt ute – „Na dworze jest dość ciepło"... co oznacza, że na zewnątrz jest na tyle komfortowo, że cieszę się przyjemną temperaturą, ale się nie przegrzewam.

Hen kom precis lagom – „Przyszedł/przyszła o właściwej porze"... niekoniecznie punktualnie, ale wtedy, kiedy trzeba.

Wiele tych wyrażeń odnosi się do indywidualnych sytuacji, ale gdy zastosować je w szerszym kontekście, lagom przyjmuje rolę kodeksu postępowania, zachęca, by utrzymać równowagę między dynamiką grupy a własnymi potrzebami.

Na przykład:

Skryt lagom! – „Nie chwal się tak". Przestań się popisywać. Nawet jeśli zdenerwowałeś tylko jedną osobę, przeszkadzasz całej grupie.

Ta en lagom portion – „Weź rozsądną porcję", taką, żeby inni również dostali sprawiedliwą część. Weź tyle, by zaspokoić apetyt, ale wykorzystaj swą mądrość i powściągliwość, by upewnić się, że dla wszystkich zostanie wystarczająco dużo.

Choć z początku może się to wydawać kłopotliwe, z czasem uczymy się, ile dawać, a ile brać, i jak utrzymywać równowagę między naszymi potrzebami a zachciankami.

Równowaga ta prowadzi do wewnętrznego zadowolenia, czyli do miejsca, ku któremu popycha nas lagom.

Jako przymiotnik

Kiedy *lagom* pojawia się w zdaniu jako przymiotnik, zmienia rzeczowniki i zaimki, opisując szczególną właściwość słowa i wydobywając na powierzchnię jego optymalną wartość. Synonimem byłyby tu epitety „pasujący" lub „odpowiedni". Stan lagom mówiącego wypiera to, co słuchacz uznaje za lagom.

Gdybym, na przykład, powiedziała:

Stå på lagom avstånd – „Stój w odpowiedniej/rozsądnej odległości ode mnie", to znaczy nie za daleko, żeby nie było mi niewygodnie, ale nie za blisko, żebym nie czuła się niezręcznie.

Det är precis lagom för mig – „To jest dla mnie odpowiednie/wystarczające", czyli dopasowuje się do moich naturalnych potrzeb.

Min lägenhet är lagom – „Moje mieszkanie jest dla mnie odpowiednie", to znaczy, że naprawdę nie potrzebuję większego ani mniejszego. To, które mam, odpowiada mi w tym konkretnym momencie życia.

ZMIENNOKSZTAŁTNY LAGOM

Zrozumienie, co oznacza słowo *lagom* i jak często bywa używane, ma kluczowe znaczenie, ponieważ lagom jest również zmiennokształtny i określa rozmaite rzeczy w różnych kontekstach.

Zależnie od sytuacji lagom może być nacechowany emocjonalnie lub obojętny, jakościowy i ilościowy, pozytywny i negatywny. Może sygnalizować ironię i pochwałę. Może oznaczać realizm, logikę i zdrowy rozsądek.

W kolejnych rozdziałach będziemy odkrywać, jak lagom ujawnia się w naszych domach, związkach, w społeczeństwie, w pracy i w różnych sytuacjach, w których codziennie się znajdujemy.

Największą korzyścią powinno być jednak to, czego się nauczymy, kiedy zobaczymy, jak lagom funkcjonuje w takich momentach.

W jaki sposób możemy korzystać z tych lekcji, by wzbogacić własne życie w konstruktywny sposób, nadając sens naszym decyzjom?

Co lagom może nam dać w domu, w pracy i podczas zabawy?

Koniec końców, rolą lagom jest poprowadzenie nas ku własnej, naturalnej równowadze, poprzez usunięcie barier stawianych przez różnorodne napięcia i osiągnięcie pełni zadowolenia.

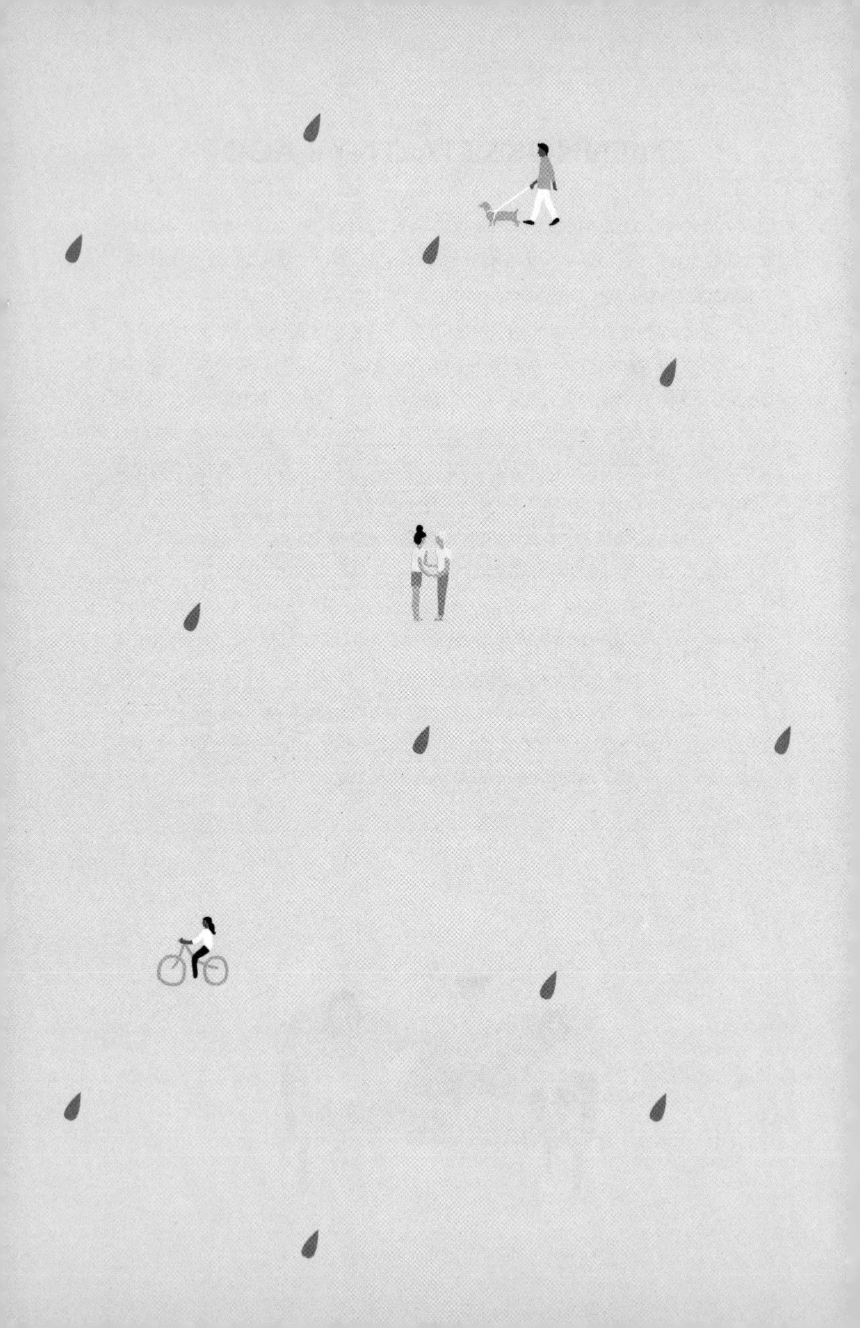

KULTURA

+

EMOCJE

„Każdy człowiek tworzy swoje własne szczęście".

Przysłowie szwedzkie

Czy wiecie, że Szwecja ma charakterystyczny przydomek?

Mieszkańcy nazywają ją czasem *Landet lagom* („kraina lagom"), ponieważ lagom został w tym państwie przyjęty jako sposób na życie. Żyć jak Szwed, oznacza akceptować kulturowe wartości lagom w różnych obszarach naszej egzystencji – w zakresie emocji lagom to pozbawiony ekstrawagancji umiar.

By spróbować pojąć szwedzką psychikę, musimy bliżej przyjrzeć się temu słowu i zobaczyć, jak głęboko wnika ono we wszelkie sfery życia – od kultury, mody i dobrego samopoczucia po biznes, związki międzyludzkie i społeczeństwo jako całość.

SPOJRZENIE W PRZESZŁOŚĆ

Najpierw jednak trzeba zrozumieć, jak narodził się lagom, kiedy się pojawił i kiedy zaczął opanowywać umysł Szwedów.

Na początku XVII wieku słowo *lag*, które oznacza zarówno „prawo", jak i „drużynę", zaczyna występować w szwedzkich tekstach. Liczba mnoga – „prawa" – brzmiała wtedy *lagom*. Nikt nie potrafi wskazać konkretnego momentu, w którym lagom wniknął w zbiorową świadomość Szwedów, wielu jednak twierdzi, że jego korzenie sięgają czasów wikingów, to znaczy VIII–XI wieku.

Słowo *lagom* funkcjonowało również jako skrócona wersja wyrażenia *laget om*, które dosłownie daje się przetłumaczyć „dla drużyny". Najpopularniejsza teoria dotycząca korzeni lagom sugeruje, że sposób myślenia członka wikińskiego oddziału był przekazywany z pokolenia na pokolenie. Mówi się, że rogi pełne miodu pitnego podawano z rąk do rąk, gdy wojownicy siadali wokół ognia, zmęczeni rabunkiem. Każdy miał wypić swoją porcję z umiarem, tak by zostało dla wszystkich. Podejrzewam, że tego, kto nie zastosowałby się do tej zasady, mógłby spotkać szybki i tragiczny koniec, bynajmniej nie w duchu wspólnotowym.

Wtedy lagom zaczął przyjmować różne postaci symbolizujące umiar: nie za dużo, nie za mało, w sam raz.

Tradycyjne luterańskie wartości dodały do rozumienia lagom kolejne, purytańskie warstwy znaczeniowe, podkreślające skromność, harmonię i opiekę nad naszymi siostrami i braćmi, poprzez upewnianie się, że wszyscy traktowani są równo i sprawiedliwie.

To dążenie do równości stało się kluczowym elementem politycznego DNA Szwecji jako państwa opiekuńczego, gdzie umiar i sprawiedliwy podział bogactwa poprzez odpowiedni system podatkowy są zagwarantowane prawnie i popierane przez obywateli.

Wspólnotowy sposób myślenia Szwedów polega na świadomej uważności, ukształtowanej poprzez pamiętanie o tym, jak funkcjonować w społeczeństwie, a także o tym, jak żyć, nie wpływając negatywnie na innych i nie sprawiając im problemów.

SPOJRZENIE NA TERAŹNIEJSZOŚĆ

Gdy spytać przypadkowego Szweda, kiedy ostatni raz w nowoczesnej historii jego kraj był w stanie wojny, możliwe, że odpowie: „Nigdy". Szwedzki model zachowania, zakorzeniony w wartościach równości i umiaru, opiera się na kompromisach, neutralności i unikaniu konfrontacji.

Mówi się często, że to dzięki tej neutralności Szwecja dała światu tak wielu znakomitych dyplomatów i negocjatorów, od biznesmena i dobroczyńcy Raoula Wallenberga, który uratował dziesiątki tysięcy Żydów, służąc jako specjalny szwedzki wysłannik w Budapeszcie w latach czterdziestych XX wieku, po Daga Hammarskjölda, który był sekretarzem generalnym Organizacji Narodów Zjednoczonych w latach pięćdziesiątych i zginął tragicznie w katastrofie lotniczej w drodze na negocjacje pokojowe. Neutralność to jedno, ale by zbudować naród, „potrzeba całej wioski", a nasze podejście do siebie nawzajem i miejsc, w których mieszkamy, pomaga kształtować wspólną jakość życia.

Co roku amerykańska organizacja pozarządowa Social Progress Imperative przygotowuje globalny ranking krajów, oceniając je pod względem realizacji potrzeb społecznych, i Szwecja stale zajmuje miejsce w pierwszej dziesiątce państw o najwyższych pozytywnych wskaźnikach.

Pierwszy aspekt dotyczy zaspokajania podstawowych ludzkich potrzeb: opieki medycznej, higieny sanitarnej, schronienia. Drugi bada, na ile solidne są podstawy dobrostanu, i uwzględnia edukację, dostęp do technologii i średnią długość życia; trzeci zajmuje się prawami jednostki, wolnością wyboru i tolerancją.

W 2016 roku Szwecja zajęła szóste miejsce na świecie, z wynikami powyżej dziewięćdziesięciu punktów na sto, w kategoriach obejmujących podstawowe ludzkie potrzeby, dostęp do wiedzy i informacji oraz jakość środowiska.

Podejście oparte na równości i przekonaniu o konieczności dzielenia się z innymi przyczynia się również do tego, że Szwecja regularnie zajmuje czołowe miejsce na liście krajów najbardziej egalitarnych, jeśli chodzi o płeć.

Według Global Gender Gap Report z 2016 roku, mierzącego równość płci w takich obszarach jak edukacja, polityka, ekonomia i zdrowie, Szwecja plasuje się na czwartym miejscu na świecie, za Islandią, Finlandią i Norwegią. Cnoty lagom – równość, sprawiedliwość i optymalność – pchnęły kraj ku wysokim standardom, z których jest dzisiaj znany.

Fakt, że lagom to podstawa szwedzkiego stylu życia, świadczy o mocy tego słowa i o tym, ile możemy zyskać, wprowadzając elementy tej idei do naszej codzienności.

Lagom nie jest jednak powszechnie akceptowany. Nawet wśród Szwedów.

SZWEDZKI UMIAR

„Lepiej milczeć, niż mówić źle o innych".

Przysłowie szwedzkie

Ponieważ każdy mierzy lagom swoją miarą, pewne jego aspekty są odbierane przez niektórych ludzi nie jako pomoc w codziennym życiu czy jego wzbogacenie, lecz jako przeszkoda.

Neutralność, powściągliwość i konformizm, które wyrastają z umiaru, wydają się niepotrzebnym i dość kłopotliwym ciężarem. Taki lagom może zdusić kreatywność i ambicję. Unikanie ekstremalnych doświadczeń utrzymuje nas w bańkach samozadowolenia i przeciętności, nie pozwalając próbować nowych rzeczy, popełniać błędów i rozwijać się.

Na podstawowym poziomie rozumiemy lagom jako przeciwieństwo nadmiaru. Każdy gest czy emocja, która wydaje się nie na miejscu, jest często w grupie źle widziana... ale nikt jej nie komentuje.

Nazywam to czasem „szwedzkim milczeniem", a – jak głosi stare przysłowie – lepiej milczeć, niż mówić źle, upomnieć cicho, niż samemu zasłużyć na upomnienie.

Wiele osób przyjeżdżających do Szwecji zachwyca się pięknem tego kraju – wioskami pełnymi bujnej roślinności, czerwonymi domkami jak z gry Monopoly czy też stolicą, Sztokholmem, malowniczo położonym na czternastu wyspach. Odwiedzający często są jednak zdziwieni niektórymi społecznymi regułami, które determinują relacje między obcymi sobie ludźmi w miejscach publicznych, takich jak autobusy, metro czy ulica. Panuje cisza, często mylona z obojętnością albo chłodem, które łatwo wziąć do siebie, jeśli akurat znaleźliśmy się w pobliżu.

Jednak nić, z której utkana jest otaczająca nas cisza, uprządł lagom.

Lagom nie zachęca, byś był chłodny, obojętny czy aspołeczny, ale byś pamiętał o swoim sąsiedzie. Podczas gdy ty, jako obcokrajowiec, możesz tęsknić za dotknięciem lokalności, interakcją i akceptacją, być może ja, jako Szwed, patrzę na ciebie z powściągliwością, chcąc być pewnym, że pozostawiam ci przestrzeń i nie przeszkadzam swoją obecnością.

To dlatego Szwedzi generalnie nie są fanami przypadkowej rozmowy z obcymi czy mówienia rzeczy oczywistych, co bywa szokiem kulturowym dla wielu przybyszów i podróżników. W rozmowach z przyjaciółmi i nieznajomymi zapada czasem przedłużająca się cisza. Ten zapas czasu jest dla Szweda bardzo wygodny, podczas gdy dla obcokrajowca może okazać się torturą.

Niektórzy narzekają, że często trudno nawiązać kontakt i budować relację ze Szwedem. W kulturze, w której nie używa się przesadnej gestykulacji, by komunikować się pozawerbalnie, przebywanie ze Szwedem w milczeniu może obcokrajowcowi przypominać spotkanie z pokerzystą podczas gry o wysoką stawkę. Jest to szczególnie wyraźne na północy kraju.

Popularne szwedzkie przysłowie głosi, że lepiej milczeć i zostać uznanym za głupka, niż odezwać się i rozwiać wszelkie wątpliwości. Ponieważ lagom nakazuje, by dzielić się tylko tymi informacjami, które są w danej sytuacji konieczne, small talk bywa postrzegany jako przesadna wylewność. Rzadko prawi się puste komplementy, ponieważ chcemy, by nasze czyny mówiły same za siebie, w zamian zaś zyskujemy akceptację. Należy spodziewać się krytyki, jeśli ktoś robi i mówi zbyt wiele, a można jej uniknąć, nic nie mówiąc i nic nie robiąc.

I tak milczenie trwa.

JANTE – ZAZDROSNY KUZYN LAGOM

„Nadmiar pochwał jest ciężarem".

Przysłowie szwedzkie

Ponieważ mój lagom nie musi być taki sam jak wasz lagom, to, co miało być gwarantującą osobisty poziom zadowolenia równowagą, może budzić rozgoryczenie, ponieważ lagom nie daje się zastosować tak samo w każdym przypadku.

W relacjach społecznych lagom ma więc swoją ciemną stronę – nie tylko powinniśmy się dostosować, ale nie wypada też dołączać do grupy z naszym indywidualnym lagom. Nie wolno być w niczym „zbytnio" ani „za mało", nie możemy też podświadomie zakładać, że jesteśmy lepsi od innych.

Powieść *Uciekinier w labiryncie* z 1933 roku autorstwa Aksela Sandemose, norweskiego pisarza pochodzenia duńskiego, rozgrywa się w fikcyjnym mieście Jante, gdzie mieszkańcy wprowadzają w życie dziesięć zasad postępowania, znanych jako „jantalegen" – prawa Janty. Wspólnota rządzi się takimi zasadami, jak „Nie jesteś nikim wyjątkowym" i „Nie próbuj udawać, że jesteś pod jakimkolwiek względem lepszy od innych".

W prawie Jante źle widziany jest jednostkowy sukces i osobiste osiągnięcia, indywidualizm przegrywa z kolektywną jednością, a ambicje i aspiracje zostają stłamszone.

Głęboko zakorzeniona zazdrość, zwana „den svenska avundsjukan" (szwedzką zazdrością), zaczyna wypływać na powierzchnię i kierować się ku ludziom, którzy odnieśli sukces… według naszych, określanych przez lagom, definicji.

Jeśli lagom jest uważnym bratem, jante to cyniczny kuzyn, który chce pokazać ci twoje miejsce. Przybyszom często trudno jest rozpoznać, z którym z nich mają do czynienia, kiedy dzielą się informacjami o swoich osiągnięciach, a słyszą tylko zdawkowe odpowiedzi lub wręcz zapada milczenie.

Ze względu na skomplikowaną warstwę jante, która nakłada się na lagom, wielu Szwedów desperacko próbuje unikać stereotypu. To dlatego Szwedzi spotkani za granicą wydają się „inni". Często szybko porzucają lagom – zwłaszcza te jego aspekty, które są wymagane w sytuacjach grupowych. Wynika to z negatywnych cech lagom, wyolbrzymianych przez jante.

Kiedy jednak wracają do Szwecji, od razu wracają do lokalnego kodeksu postępowania.

PRZYWRACANIE ISTOTY LAGOM

Lagom nigdy nie miał być równoznaczny ze słowem „przeciętny" czy nawet „neutralny". A jednak na przestrzeni czasu słowa te również wniknęły w psychikę Szwedów i wciąż stanowią argumenty dla tych, którzy czują, że lagom i jego ideologia umiaru ich ograniczają. To rodzi również błędne postawy, takie jak nuda, lenistwo, przesadna poprawność polityczna i przeciętność.

Te nieprzyjemne słowa zdają się jednak nie pasować do nowoczesnego państwa, jego społecznego rozwoju, sprawności technologicznej i trudnej, lecz nieprzerwanej walki o równość.

Próba wprowadzenia lagom w życie społeczne musi zaczynać się od jednostek, zanim więc będziemy oczekiwać lagom od innych, musimy w pełni go przyjąć i zaakceptować we własnym życiu.

Jeśli więc zrobimy krok wstecz i spróbujemy ponownie poszukać istoty lagom, zrozumiemy, że w swojej najpotężniejszej formie próbuje on wskazać dopasowany do kontekstu ideał. Stara się owinąć każdego kocem osobistego zadowolenia, jednak utrzymuje nas wewnątrz dynamiki grupy i tworzy wokół poczucie harmonii. Prowadzi ku emocjonalnej dojrzałości, która oznacza, że jakąkolwiek decyzję podejmiemy w konkretnych momentach i interakcjach, niezależnie od tego, czy zareagujemy, czy nie, będzie to najlepsze zarówno dla nas, jak i dla innych.

Jak milczący przewodnik prowadzący w stronę dobrego życia, lagom chce, byśmy zatrzymali się i zadbali o nasze uczucia i emocje.

W codziennych sytuacjach, takich jak jedzenie i zakupy, nasze potrzeby są często o wiele mniejsze niż zachcianki. Natomiast jeśli chodzi o odczucia i emocje, lagom pokazuje, że potrzeby mogą znacznie przekraczać oczekiwania i że to nic złego. To właśnie przestrzeń, w której musimy działać, aby zbliżyć się do najbardziej komfortowego „złotego środka" i do osiągnięcia harmonii w życiu.

Możemy podświadomie potrzebować serdecznego uścisku, choć pozornie zależało nam tylko na powierzchownym kontakcie. Możemy szukać kochanka, ale tak naprawdę potrzebować wsparcia i towarzystwa, które dają coś więcej niż tylko fizyczną intymność. Możesz chcieć wrócić do pracy bezpośrednio po trudniejszym okresie w życiu, ale jednocześnie potrzebować dodatkowego dnia, by o siebie zadbać.

To, czego chcemy, bywa cienką zasłoną przykrywającą to, czego naprawdę potrzebujemy – tym samym zajęcie się podstawowymi potrzebami może jednocześnie zaspokoić nasze zachcianki i przybliżyć do pełni szczęścia. To jest właśnie sedno lagom: chodzi o to, by upewnić się, że realizujemy nasze potrzeby w taki sposób, by osiągać pokój i pełnię, niezależnie od tego, czego chcemy w życiu.

Jeśli chodzi o uczucia, lagom zachęca, byśmy płakali i śmiali się tyle, ile potrzebujemy. Byśmy słuchali bardziej emocjonalnych potrzeb niż zachcianek. Byśmy znaleźli przestrzeń zadowolenia pomiędzy uzewnętrznieniem a stłumieniem emocji. A co ważniejsze, byśmy zaakceptowali tę przestrzeń z dumą i bez wstydu.

Gdy bowiem skupiamy się na emocjach, możemy wejść w różne środowiska z pewnością siebie, która pomaga opierać się naciskającym na nas zewnętrznym siłom. Znajdujemy pełne zadowolenia schronienie, w którym możemy spokojnie i wygodnie trzymać się grupy, nie czując potrzeby wypełniania ciszy kwiecistymi słowami.

SPRAWDZIAN EMOCJI

- Być może najważniejsza lekcja to: więcej słuchać i mniej mówić.

- Jest wiele ważnych drobiazgów, których nie dostrzegamy, kiedy dominujemy w rozmowie i zajmujemy cudzą przestrzeń. Nie znaczy to, że powinniśmy zawsze ustępować innym, ale należy dać im możliwość zabłyśnięcia.

- Uczymy się wzajemnego szacunku, kiedy słuchamy się wzajemnie.

- Czy powtarzanie oczywistości naprawdę jest konieczne? A może lepiej spędzać czas na mówieniu o rzeczach bardziej znaczących, które nas wzbogacają?

- Czy to możliwe, że zazdrość, z jaką patrzymy na innych, wynika z faktu, że są oni bliscy swojego doskonałego stanu lagom? Powinniśmy raczej skupiać się na naszej własnej równowadze.

- Może należy porzucić poczucie niedostatku i zrozumieć, że w istocie niczego nam nie brakuje?

- Jeśli chodzi o emocje i uczucia, musimy pogodzić się z naszymi potrzebami i nie wstydzić się ich. To prowadzi ku zadowoleniu.

JEDZENIE + ŚWIĘTA

„Żołądek nasyca się wcześniej niż oko".

Przysłowie szwedzkie

Jesteśmy wygodnymi istotami, a jedna z naszych przytulnych kryjówek zbudowana jest ze smaków, zapachów i doskonale znanych, ulubionych potraw.

Wiele przyjemnych wspomnień wiąże się z chwilami, kiedy rano nalewamy sobie pierwszą filiżankę kawy lub herbaty, wgryzamy się w świeżo upieczoną kanelbulle (cynamonową bułeczkę), wdychając jej słodki zapach, kiedy robimy sobie przerwę na lunch z kolegami lub przygotowujemy posiłki przy akompaniamencie ciepłych głosów naszych bliskich zebranych przy stole.

Styl życia w znaczącym stopniu współtworzy to, co i jak jemy, nic więc dziwnego, że lagom, jako nasz kodeks, objawia się także w tej przestrzeni.

Szwedzi uwielbiają jeść. Nie rzucają się jednak na wszystko, co pojawia się na talerzach, ale jedzą dobrze i świadomie, odżywiając zarówno ciało, jak i duszę.

Kiedy lagom wkracza do wspólnego ucztowania, przyjmuje formę umiaru, nie ograniczeń czy restrykcji, jak można by się spodziewać. Pamiętajmy, że Szwecja dała nam też słowo *smörgåsbord*, które tłumaczy się jako „stół kanapek", ale które oznacza również szeroki wybór różnych opcji, zazwyczaj w kontekście bufetu („szwedzkiego stołu").

Używa się wyrazu *lagom*, by uściślić, o jakie jedzenie nam chodzi: „lagom ciepłe", „lagom posolone", „wielkości lagom". Lagom pomaga kontrolować rozmiar porcji i pozwala uzyskać idealny dla nas, odpowiedni smak.

„Idea „dopasowywania się" poprzez lagom jest widoczna także w szwedzkim jedzeniu. Potrawy nie są zbyt ekskluzywne, ale też nie za proste. Nie przyprawiamy ani zbyt mocno, ani zbyt słabo. Nie jemy ani zbyt dużo, ani zbyt mało. Szwedzka kuchnia ucieleśnia lagom.

Margareta Schildt Landgren, szwedzka autorka ponad dwudziestu książek kulinarnych"

Poza umiarem, w codziennym żywieniu lagom przybiera również formę świadomości społecznej, dążenia do działania w imię wyższego dobra. Sugeruje, by jedząc, nie zapominać o etyce, o środowisku, o lokalnych produktach. Chce, byśmy dbali nie tylko o nasze żołądki, ale też o dostawców jedzenia i płody rolne.

To dlatego w szwedzkiej kulturze rozpowszechnione są kampanie zachęcające ludzi, by, na przykład, jedli mniej mięsa czy krewetek, przeciwstawiając się w ten sposób naruszającym równowagę nieekologicznym praktykom. Lagom podpowiada, byśmy wciąż zadawali pytania o to, co jemy i jakich dokonujemy wyborów. Wymaga, byśmy powstrzymali się od przesady, brali tylko tyle, ile potrzebujemy – często o wiele mniej, niż byśmy chcieli – i unikali marnotrawstwa.

Powściągliwość lagom da się czasem dostrzec także w komplementach prawionych po dekadenckiej kolacji. Świetna recenzja znakomitego posiłku w ustach starszego Szweda mogłaby brzmieć: *Det var inget fel på det här* („Nie było w tym nic złego").

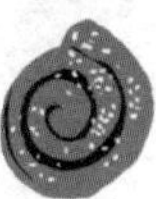

BEZPROBLEMOWY POCZĄTEK DNIA

Wielu psychologów zachęca, by zaczynać dzień od jakiejś formy medytacji lub chwili spędzonej w samotności, z dala od technologii, by oczyścić myśli, nim poddamy się rygorowi codziennych obowiązków. Zaleca się, byśmy zrelaksowali się na tyle, na ile to możliwe, nim praca i inne zajęcia zaczną wypełniać nasze umysły niepokojem.

Lagom idzie w kwestii porannego relaksu o krok dalej. Nie chodzi już tylko o to, by na chwilę zamknąć oczy i skupić się na oddechu, ale także o uproszczenie porannych zwyczajów, tak by przed wyjściem z domu obniżyć napięcie. Dotyczy to również tego, co rano jemy.

Typowe szwedzkie śniadanie jest wyrazem działania lagom. W odróżnieniu od bogatego śniadania angielskiego, będącego miniucztą złożoną ze smażonych jajek, bekonu, fasolki, grubych kiełbasek i kaszanki, szwedzkie ma minimalistyczny charakter.

Często powtarzam, że typowe śniadanie jest wyrazem szwedzkiej praktyczności i popularnej koncepcji składanki, w której każda rzecz działa niczym klocek. To skandynawskie modułowe podejście oznacza, że poszczególne elementy mogą funkcjonować samodzielnie, ale też jako część większej konstrukcji. Ten pomysł to jeden z powodów ogólnoświatowej popularności szwedzkiej marki IKEA. Dlatego też duńskie LEGO tak nam się podoba, niezależnie od wieku. Dostajemy bardzo proste narzędzia, pozwalające budować to, co chcemy, zgodnie z naszym gustem.

Zasadę nawarstwiania widać wyraźnie także w przypadku szwedzkiego śniadania. Jego dwa „klocki" to kromki węglowodanów, takich jak chrupiący chleb, cienki (*tunnbröd*) lub miękki i wieloziarnisty, oraz nabiał – na przykład miska jogurtu waniliowego lub *filmjölk* (*fil*) – kwaśnego mleka.

Od tych dwóch klocków rozpoczynamy budowę posiłku. Chleb przykrywamy między innymi plastrami sera, wędliny, papryką, pasztetem z wątróbki, piklami z ogórków, gotowanymi jajkami. Nadaje się wszystko, co znajdziemy w lodówce i co da się rozsmarować albo pokroić w plastry. Drugi element – nabiał – uzupełniamy muesli, płatkami czy świeżymi owocami.

Taka koncepcja nie wymaga wielu przygotowań i pozwala samemu wybrać ilość warstw i dodatków na chlebie czy w misce. Lagom objawia się przy śniadaniu w paradygmacie „mniej znaczy więcej", skupiając się na dostarczeniu ciału energii i eliminując jeden czynnik możliwego stresu.

CODZIENNY RYTUAŁ FIKA

Mówi się często żartem, że trzy najważniejsze słowa, które poznaje każdy nowy mieszkaniec Szwecji, to *hej* (cześć), *tack* (dziękuję) i *fika*.

Zanim nauczyliśmy się zapraszać lagom do naszych domów, poznaliśmy znacznie słodsze szwedzkie słowo – *fika* (wymawia się fiii-ka). Tłumaczy się je często jako przerwę (*fikarast*) lub pauzę (*fikapaus*), na którą idzie się kilka razy w ciągu dnia, by porozmawiać z przyjaciółmi, bliskimi i kolegami przy kawie i ciastkach, takich jak cynamonowe i kardamonowe bułeczki. Popołudniowa angielska herbatka z wyborem kanapek i ciastek ma podobny charakter, jednak główna różnica tkwi w częstotliwości, z jaką się „fika" – niekiedy nawet trzy razy dziennie.

Według badań International Coffee Organization (ICO) Szwecja należy do światowej czołówki pod względem konsumpcji kawy. Fika jest więc tu uświęconym tradycją rytuałem.

Jednak prawdziwym powodem, dla którego kilka razy dziennie pozwalamy sobie na takie chwile, nie jest chęć pochłaniania cynamonowych bułeczek, ale potrzeba skupienia i nawiązania kontaktu z innymi. Odpoczynek dla umysłu i osiągnięcie równowagi pośród myśli i emocji poprzez spotkanie z przyjaciółmi, kolegami i rodziną. Fika to społecznie usankcjonowana możliwość znalezienia chwili na przerwę w naszym wypełnionym obowiązkami życiu, zrobienia kroku w tył i wzięcia oddechu – a przy okazji zaspokojenia ochoty na słodycze.

Zbyt intensywna praca, podobnie jak inne nadmiarowe działania, to antyteza lagom, więc krzywo patrzy się na osoby jedzące lunch przy biurku, przed ekranem komputera. Poprzez lagom równowaga między życiem a pracą jest wtłaczana w szwedzką psychikę, a udział w fika to akt „przekalibrowania", pozwalający na powrót do działań w stanie równowagi i harmonii.

Tradycja fika jest głęboko zakorzeniona w lagom.

„ Fika to stan umysłu, podejście do życia i ważna część szwedzkiej kultury. Fika nie można doświadczyć samemu przy biurku, ponieważ jest rytuałem. Odświeża umysł i umacnia związki. Ma też sens biznesowy: firmy, które wprowadzają fika, mają lepsze zespoły i są bardziej produktywne.

John Duxbury, właściciel SwedishFood.com ”

Jeśli chodzi o kawę, najpopularniejsza to *mellan bryggrost* (średni napar). Ponieważ wiele osób nie może się zdecydować na wybór między mocnymi a lekkimi mieszankami, Szwedzi, inspirowani przez lagom, najczęściej sięgają po napary o średniej mocy. Nie za mocna, nie za słaba, w sam raz. A „w sam raz" w tym wypadku oznacza średnią.

Ta sama logika dotyczy mleka: *mellanmjölk* (mleko półtłuste) to najpopularniejszy produkt na sklepowych półkach, a Szwecja nazywana jest nie tylko Landet lagom (krainą lagom), lecz także żartobliwie „krainą mellanmjölk".

JEDZ, CO CHCESZ... ALE Z UMIAREM

„Trzeba jeść, inaczej się umiera".
Przysłowie szwedzkie

Jak można się domyślić, znając codzienną tradycję fika, Szwedzi jedzą słodycze, ale z umiarem. Gdyby nie rozsądek, kilka cynamonowych bułeczek dziennie szybko zmieniłoby się w dodatkowe kilogramy.

Według Instytutu Szwedzkiego przeciętny mieszkaniec tego kraju zjada rocznie w wyrobach cukierniczych odpowiednik 316 cynamonowych bułeczek. Nie trzeba więc chyba podkreślać, jak bardzo są lubiane. Jednak ostatni raport o otyłości, sporządzony przez Organizację Współpracy Gospodarczej i Rozwoju (OECD), mówi o 24,7% otyłych Brytyjczyków i tylko 11,8% Szwedów.

Oprócz umiaru, w sferze gastronomii lagom opowiada się także po stronie realizmu, walcząc z nadmiarową konsumpcją. Zachęca, byśmy wybierali właściwy i możliwy do utrzymania styl życia. Proponuje, by nasza dieta była realistyczna i łatwa do codziennego stosowania. Nie polega to na wprowadzaniu skrajnych ograniczeń, które nakładałyby na nas niepotrzebną presję i zaburzały wewnętrzną równowagę. Lagom przekonuje, że powinniśmy zadbać o nasze potrzeby i zachcianki w sposób pozbawiony skrajności: możemy sięgnąć po kawałek czekolady, ale nie powinniśmy chwytać kilku następnych.

Przeciętna czteroosobowa szwedzka rodzina zjada około 1,2 kilograma słodyczy tygodniowo. Większość spożycia przypada na sobotę, co związane jest z tradycją *lördagsgodis* (sobotnich słodyczy). Sięga ona lat czterdziestych XX wieku, kiedy szpital psychiatryczny Vipeholm w Lund przeprowadzał eksperymenty, podając pacjentom duże ilości słodyczy, by umyślnie spowodować psucie zębów. W 1957 roku było już jasne, że istnieje bezpośredni związek między cukrem a problemami stomatologicznymi, więc Szwedzka Rada Zdrowia zaleciła jedzenie słodyczy tylko raz w tygodniu. Kilkadziesiąt lat później ta tradycja umiaru wciąż utrzymuje się w wielu szwedzkich domach, a dzieci muszą pogodzić się z samodyscypliną. Instynktownie myślą o słodyczach jako o czymś, czym mogą cieszyć się od czasu do czasu, a nie o czymś, czym zajadają się codziennie.

POWRÓT DO PROSTOTY

Przez ostatnią dekadę północna kuchnia cieszyła się ogromną popularnością, a tak zwana „nowa kuchnia nordycka" rozsławiła świeże, regionalne składniki z tych rejonów Europy, w tym także ze Szwecji. W 2004 roku powstał nawet manifest mający wyznaczyć kierunek dla ruchu, który upowszechnił się w świecie poprzez kawiarnie, restauracje i inne formy gastronomii promujące cudowną prostotę kuchni nordyckiej. Głównymi hasłami tego kulinarnego oporu przeciwko opartym na zbytku status quo były: powrót do naturalnych smaków, sezonowość, zrównoważony rozwój, dobre samopoczucie i wysoka jakość.

Choć nowa kuchnia nordycka kojarzy się często ze zbieraniem dzikich kurek i zrywaniem malin moroszek i borówek w lasach borealnych, na co dzień oznacza ponowne nawiązanie kontaktu ze źródłem, z którego pochodzi nasza żywność, a także pozostawanie blisko tego źródła. Wiąże się z tym także dekonstrukcja skomplikowanych posiłków, co sprawia, że możemy cieszyć się na nowo każdym smakiem osobno.

A za każdym razem, kiedy mowa o podejściu do życia opartym na zasadzie „mniej znaczy więcej", warto nawiązać do lagom.

MANIFEST NOWEJ KUCHNI NORDYCKIEJ

- Chcemy pokazać czystość, świeżość, prostotę i etos, związane z naszym regionem.

- Chcemy, by w naszych posiłkach odbijały się zmiany pór roku.

- Będziemy opierać gotowanie na składnikach i produktach specyficznych dla naszego klimatu, krajobrazu i wód.

- Będziemy łączyć potrzebę dobrego smaku ze współczesną wiedzą na temat zdrowia i dobrego samopoczucia.

- Będziemy promować północne produkty i różnorodność producentów z tych rejonów, a także wiedzę o tradycyjnych uprawach.

- Będziemy dbać o dobrostan zwierząt i rozsądny proces produkcji w gospodarstwach, w morzach i na terenach niezagospodarowanych.

- Będziemy rozwijać metody jak najlepszego wykorzystania tradycyjnych północnych produktów.

- Chcemy powiązać to, co najlepsze w kulinarnych tradycjach Północy, z wpływami z zewnątrz.

- Chcemy połączyć lokalną samowystarczalność z wymianą produktów najwyższej jakości między regionami.

- Chcemy w ramach tego projektu połączyć siły z reprezentantami konsumentów, rzemieślnikami, przedstawicielami różnych branż, badaczami, politykami i członkami władz dla dobra państw nordyckich.

Źródło: The Nordic Council on Nordic Co-operation (www.norden.org)

Chociaż ruch rozprzestrzenił się teraz wśród miłośników jedzenia na całym świecie, zasady te nie są dla Szwedów niczym nowym. Gdy nastają lato i jesień, wielu z nich zbiera grzyby w lasach w całym kraju.

Dżem z borówki brusznicy jest dla Szwedów tym, czym dla Anglików ketchup. Podaje się go do wszystkiego: od klopsików po naleśniki i od owsianki po kaszankę, nigdy jednak nie smaruje się nim chleba. Wielu Szwedów wciąż przygotowuje go w domu z kilogramów słodko-kwaśnych owoców, które sami zebrali w lesie.

Wolny dostęp do przyrody wspierany jest przez rządową inicjatywę Allemansrätten („prawo wszystkich"), które zapewnia swobodę wędrowania i cieszenia się świeżym powietrzem. Oznacza to, że możemy rozstawiać namioty i odpoczywać wszędzie, gdzie chcemy, a także zbierać wszelkie rośliny jadalne, o ile tylko nie ma znaku zakazu.

Promuje to mentalność opartą na samowystarczalności. Jemy to, co rośnie na naszych podwórkach, wykorzystujemy lokalne składniki, a dzięki Allemansrätten każdy ma sprawiedliwy i równy dostęp do zasobów żywności.

Abyśmy mogli docenić w pełni jakość produktu, musi on zostać przygotowany samodzielnie. Można ją smakować w doskonałym połączeniu długo peklowanego łososia (*gravad lax*), żółtych ziemniaków „migdałowych" (*mandelpotatis*) i słodko-kwaśnej musztardy lub w pysznej kombinacji klopsików z dziczyzny i żywej słodyczy brusznic.

Szwedzi mają również swoje rdzenne, domowe „jedzenie na dobre samopoczucie". Tutejszy odpowiednik wiejskiej kuchni nosi nazwę *husmanskost* („jedzenie gospodarza"). Przez wieki Szwecja była rolniczym krajem ludu pracującego, w którym posiłki opierały się głównie na węglowodanach zebranych na polach, upolowanej w lasach dziczyźnie, złowionych w Morzu Północnym i Bałtyku owocach morza i endemicznych ziołach, rosnących w subarktycznych puszczach.

Prosta i tania husmanskost od początku XX wieku powoli wchodziła do restauracji, w których jest popularna do dzisiaj.

Pośród zmieniającego się kulinarnego pejzażu Szwedzi pozostają wierni tradycyjnym daniom, niczym ciepłym kocom, którymi przykrywamy się od dziecka, a wiele doskonałych produktów i płodów rolnych, takich jak borówka, służy jako trwała, mająca wiele zastosowań kulinarna baza, która wciąż zaspokaja liczne jedzeniowe potrzeby.

W większości domów znajdziemy na przykład chrupiący chleb zwany *knäckebröd*, wypiekany w Szwecji od ponad pięciuset lat. To jeden z najbardziej popularnych produktów w szwedzkiej spiżarni, a odpowiednio przechowywany utrzymuje świeżość przez rok. Można go jeść z gotowanym jajkiem na śniadanie, z szynką i serem na lunch albo z samym masłem jako dodatek do kolacji. Jest nie tylko praktyczny i „wielozdaniowy", ale stanowi też gastronomiczne ucieleśnienie lagom.

W szwedzkiej kuchni prostota i swoboda wypierają komplikacje. A lagom kibicuje tej rozgrywce.

JAKOŚĆ DOSTĘPNA DLA WSZYSTKICH

Wraz z koncepcją nowej kuchni nordyckiej przyszły sukcesy ekskluzywnych, nagradzanych gwiazdkami Michelin restauracji. Karmią one ciekawych świata hedonistów, rywalizujących o minimalistycznie nakryte stoliki, pełne samodzielnie zebranych owoców i grzybów, sezonowych warzyw i ekologicznych owoców morza, a także dziczyzny upolowanej przez kucharzy.

Choć mogłoby to oznaczać, że zaproszeni są tylko ci, których stać na ten luksus, i łatwo odnieść wrażenie, że nastąpiło znaczące ekonomiczne odstępstwo od szwedzkich ideałów dostępności i równości, to jednak – co zaskakujące – w tej przestrzeni luksusu również funkcjonuje lagom.

Sukcesowi wykwintnych kulinarnych propozycji towarzyszy popularność *bakfickor* („tylnych kieszeni"). Są to tańsze restauracje i bistra, siostrzane wobec „gwiazdkowych" przybytków, prowadzone przez tych samych szefów kuchni. W bakfickor chodzi o to, by doskonałe jedzenie było dostępne dla każdego, bez konieczności wcześniejszej rezerwacji miejsc. Może to oznaczać podobną jakość, ale przy innych porcjach i w innych cenach.

Lagom przeobraża się po raz kolejny i przyjmuje formułę społecznej sprawiedliwości i świadomości, nie pozwalając, by ktokolwiek poczuł się odrzucony. Brak dostępu do jakichś dóbr rodzi często niechęć między tymi, którzy mają, i tymi, którzy nie mają, a w konsekwencji – niezadowolenie z życia.

Kultura jedzenia oparta na otwartości i dostępności hamuje naszą wewnętrzną potrzebę nadmiernej konsumpcji i gromadzenia, ponieważ przeciętny Szwed wie, że w każdym momencie będzie mógł sięgnąć po to, czego mu trzeba.

Wydaje się to luksusem wynikającym z położenia geograficznego, rzecz jednak w tym, by zachować lagom w kulinarnym stylu życia; by mieć poczucie, że „możemy jeść to, czego potrzebujemy, kiedy potrzebujemy", i nie ograniczają nas żadne bariery.

ŚWIĘTA I SZTUKA POWTARZANIA

Nim Szwedzi obdarowali nas lagom, dali nam *smörgåsbord*.

Słowo to – po polsku przyjmujące formę „szwedzki stół" – oznacza bufet pełen zimnych i ciepłych dań (w języku angielskim określa się tak również różnorodną mieszankę – mamy, na przykład, *smörgåsbord* jakichś cech lub aktywności). W XVI wieku mały bufet ze schnappsem i przystawkami podawany był przed kolacją w kręgach arystokratycznych.

W XVII wieku uczty te stały się bogatsze i zaczęto serwować na nich różnorodne produkty, takie jak łosoś, wędliny i kiełbasy. Na początku XX wieku natomiast typowy smörgåsbord trafił do restauracji, zapewniając masom klientów kulinarne doświadczenie dostępne wcześniej jedynie bogaczom.

Nawet „zabawy z rakami" (*kräftskivor*), organizowane w całym kraju na przełomie sierpnia i września na cześć tych skorupiaków, w XVI wieku były domeną tylko arystokracji i zamożnego mieszczaństwa. Z czasem mur otaczający uprzywilejowanych runął i wszystkie klasy społeczne zyskały dostęp do tej tradycji.

Dzisiaj szwedzki smörgåsbord – często używa się skróconej formy bord – jest podstawowym sposobem świątecznego ucztowania. Poczynając od Wielkanocy (Påsk), po Midsommar i Boże Narodzenie (Jul).

Najważniejsze dania na bord – klopsiki, wędzony łosoś, marynowany śledź, ziemniaki i małe kiełbaski zwane prinskorv – powtarzają się podczas obchodów różnych świąt. One stanowią podstawę, a obcokrajowcy rozpoznają, na jaki smörgåsbord patrzą, dzięki daniom dodatkowym, takim jak faszerowane jajka (Wielkanoc), truskawki (Midsommar) i gotowana szynka (Boże Narodzenie). Podaje się również słodki napój, podobny do korzennego piwa (Must), który zmienia nazwę zależnie od święta na Påskmust lub Julmust.

To swobodne podejście do powielania i dodawania kolejnych elementów wpisuje się w nasz sposób świętowania. Budujemy smörgåsbord

i decydujemy o jego rozmiarze wedle indywidualnych gustów. Nawet metoda i kolejność, z jaką zabieramy się do smörgåsbord, jest praktyką lagom. Zachowanie właściwego tempa to sztuka. Przy stole łatwo rozpoznać niewtajemniczonych, którzy najedli się zimnymi przystawkami, nie pamiętając, że po nich nadejdą ciepłe dania i desery.

Szwedzi mają nawet ciasto na różne okazje, które podaje się w kilku wersjach. Tort księżniczki (*prinsesstårta*) to biszkopt przekładany dżemem, kremem waniliowym i bitą śmietaną, pokryty warstwą barwionego marcepanu i udekorowany różową, cukrową różą. Ciasto to zostało wynalezione przez dwudziestowieczną autorkę książek kulinarnych i guwernantkę, Jenny Åkerström, która opiekowała się córkami księcia Karola Bernadotte – stąd nazwa „tort księżniczki".

Klasyczna wersja jest zielona, dzisiaj jednak pojawiają się różne kolory na rozmaite okazje – żółte ciasto na Wielkanoc, różowe lub niebieskie z okazji narodzin dziecka, a nawet „Biała dama", z białym marcepanem na wierzchu i musem czekoladowym w środku.

Kiedy zaczniemy eliminować niepotrzebne opcje i zastępować je rozsądnym wyborem, nie tylko unikniemy marnotrawstwa i niepotrzebnego stresu, ale też skupimy się na jakości, której naprawdę nam potrzeba.

Nie zgodzimy się na niski standard, jeśli to, co wybieramy, ma wielokrotnie i w pełni zaspokajać nasze potrzeby.

STRAWA DUCHOWA

- Warto zastanowić się, co robimy każdego ranka przy stole, i odkryć sposoby na relaks przed wyjściem do pracy.

- Ciągłe zadawanie pytań o to, co jemy i dlaczego dokonujemy takich, a nie innych wyborów, pozwala wyeliminować to, czego naprawdę nie musimy konsumować.

- Robienie sobie przerw w ciągu dnia i cieszenie się tradycją fika ma wiele zalet. Nawet pięć minut pomoże oczyścić umysł i ponownie nawiązać relację z innymi.

- Czy powinniśmy świadomie zrezygnować z jedzenia lunchu przy biurku? Niezależnie od tego, jak pilne są nasze obowiązki, zasługujemy na chwilę odpoczynku, by spokojnie się posilić.

- Przy kolejnym posiłku spróbuj zrezygnować z przypraw, by poczuć naturalne smaki i jakość produktów.

- Spójrz na manifest nowej kuchni nordyckiej i poszukaj sposobów, by wprowadzić go w życie. Może to oznaczać odwiedziny na lokalnych targach, dowiadywanie się, co rośnie i co hoduje się w twojej okolicy, oraz wsparcie lokalnego biznesu.

- Może naszedł czas, by pozwolić sobie na jedzenie wszystkiego, na co mamy ochotę, ale rozważnie i z umiarem. Oczywiście łatwiej to powiedzieć, niż zrobić, jednak tego właśnie wymaga lagom, by przywrócić w naszym życiu harmonię i wprowadzić realistyczne, możliwe do utrzymania zwyczaje żywieniowe.

- Mniejszy wybór pozwala skupić się na jakości.

ZDROWIE
+
DOBRE
SAMOPOCZUCIE

„Nawet najgłębszą studnię da się wysuszyć".

Przysłowie szwedzkie

Mawia się często, że aby zadbać o tych, których się kocha, należy najpierw zadbać o siebie. Oznacza to pozostawanie w harmonii ze swoim ciałem, zaspokajanie jego potrzeb i traktowanie swojego dobrego samopoczucia priorytetowo.

W tej sferze lagom oznacza harmonię i równowagę. Prowadzi nas do tego idealnego momentu w życiu, gdy jesteśmy naturalnie zdrowi – na ciele, duchu i umyśle.

Chce, byśmy dali odpocząć umysłom, regularnie ćwiczyli ciało i znajdowali czas, by karmić nasze dusze. A co jeszcze ważniejsze, abyśmy nie robili tego ani z przesadą, ani z lekceważeniem, lecz byśmy wypracowali w sobie realistyczne i logiczne nawyki.

A przede wszystkim lagom proponuje, byśmy się zastanowili nad tym, co oznacza dla nas dobre życie.

By żyć w harmonii, musimy szukać odpowiedzi.

> ,, Dobre samopoczucie zaczyna się od prostego pytania – co mogę zrobić, by zyskać poczucie zadowolenia i równowagi? Zadanie go sobie zmienia perspektywę. Zaczynamy poszukiwać tego, czego rzeczywiście pragniemy, i samodzielnie oceniać, co naprawdę ma sens.
>
> **Dr Mary Jo Kreitzer, założycielka i dyrektorka Centrum Duchowości i Zdrowia na University of Minnesota** ,,

OGRANICZENIE CZYNNIKÓW STRESOGENNYCH

Na nasze życie mają często wpływ zewnętrzne siły pozostające poza naszą kontrolą. Choć mamy najlepsze chęci, czas przeznaczony na odpoczynek i relaks zostaje pochłonięty przez zawodowe i osobiste obowiązki.

Osłabienie tych stresogennych czynników może poprawić nasze samopoczucie, a to bezpośrednio wpływa na jakość życia. To dlatego szwedzki rząd wielokrotnie starał się obniżyć poziom stresu swoich obywateli.

Według stworzonej przez ONZ Agendy na Rzecz Zrównoważonego Rozwoju 2030 trzecim celem Szwecji po eliminacji biedy i głodu jest zdrowie i dobre samopoczucie mieszkańców.

> ,, Zdrowie jest fundamentalnym czynnikiem umożliwiającym ludziom osiągnięcie pełni ich potencjału i współuczestniczenie w rozwoju społeczeństwa. Inwestycje w zdrowie, na przykład poprzez system opieki zdrowotnej, są inwestycjami w rozwój całego społeczeństwa.
>
> **Rada Ministrów Szwecji** ,,

Oznacza to zagwarantowanie wszystkim Szwedom szansy życia najzdrowiej, jak to możliwe – rząd uznaje prawo do dobrego samopoczucia za fundamentalne.

Szwecja stara się to realizować, zapewniając dostęp do wysoko refundowanej opieki zdrowotnej i dentystycznej (darmowej dla dzieci i nastolatków) oraz taniego, pożywnego jedzenia, a także czystej wody, powietrza i zasobów naturalnych oraz naturalnego środowiska, które sprzyja wygodzie i zadowoleniu.

Co więcej, Szwedzi mają dużo wolnego czasu, który mogą spędzić na poszukiwaniach równowagi między życiem a pracą. Pięć tygodni urlopu to standard. Płatny urlop rodzicielski wynosi 480 dni (około 15 miesięcy) na jedno dziecko. Wystarczy wyobrazić sobie rodzinę z kilkorgiem dzieci i pomnożyć tę liczbę, by zrozumieć, jak dużo wolnego od pracy czasu dofinansowuje państwo.

Jest też co najmniej osiemnaście świąt państwowych, a także *klämdagar* – dni między świętem a weekendem – kiedy również często bierze się wolne. Wiele firm w czasie *klämdagar* skraca godziny pracy. Istnieje także rodzicielski przywilej zwany VAB (*Vård av barn*), pozwalający wziąć wolne na opiekę nad dzieckiem.

Może to wydawać się luksusem, ale jest finansowane dzięki systemowi podatkowemu, zgodnie z którym każdy płaci swoją część, tak by podstawowe prawa mogły być zapewnione dla wszystkich.

Według rankingu OECD Better Life Index 81% populacji Szwecji cieszy się dobrym zdrowiem – to wynik znacznie wyższy od światowej średniej, która wynosi 69%. Jest w tym spora zasługa szwedzkiego rządu, a my staramy się dążyć do osiągnięcia optymalnego stanu naszego organizmu.

Kiedy zewnętrzne czynniki, takie jak niepokój o dostęp do służby zdrowia albo możliwość wzięcia urlopu, zostają znacznie zredukowane, zyskujemy mentalną i emocjonalną wolność, która pozwala skupić się na dobrym samopoczuciu.

HIERARCHIA POTRZEB MASLOWA

Stworzona przez amerykańskiego psychologa Abrahama Harolda Maslowa teoria, zwana „hierarchią potrzeb Maslowa", ilustruje sposób, w jaki aktywowane są wrodzone ludzkie potrzeby.

Oto jej streszczenie:

Potrzeby fizjologiczne
Podstawowe potrzeby biologiczne, takie jak powietrze, woda i stała temperatura

Potrzeba bezpieczeństwa
Potrzeby związane z bezpieczeństwem i pewnością – schronienie i stabilna praca – są aktywowane, kiedy spełnione zostają potrzeby fizjologiczne.

Potrzeba miłości i przynależności
Kiedy zaspokojone są potrzeby bezpieczeństwa i fizjologiczne, pojawia się potrzeba dawania i otrzymywania miłości i czułości, które pokonają samotność.

Potrzeba uznania
Gdy wstępujemy coraz wyżej po stopniach piramidy, budzi się potrzeba świadomości własnej wartości i szacunku ze strony innych. Kiedy zostaje zaspokojona, tworzy to poczucie godności i pewności siebie.

Potrzeba samorealizacji
Kiedy pokonane zostają wszystkie pozostałe życiowe stopnie, ujawnia się wewnętrzna ludzka potrzeba autentycznego życia, dzielenia się umiejętnościami i pełnej realizacji własnej osobowości.

SZTUKA RELAKSU

Jeśli Szwedzi w czymś osiągnęli mistrzostwo, to jest to sztuka dbania o siebie. W końcu to oni wpłynęli na powstanie pojęcia „masaż szwedzki". Nie oznacza ono tylko utrzymywania ciała w formie, mimo codziennej konsumpcji cynamonowych bułeczek podczas przerw na fika, ale też dbanie o umysł i ducha poprzez relaks.

Kiedy mowa o odpoczynku i odmładzaniu, lagom kwestionuje typowe przekonania i pomaga osiągnąć złoty środek. Próbuje zestroić nas z naszą wewnętrzną równowagą, sugeruje, by zatrzymać się od czasu do czasu, przyjrzeć się naszemu samopoczuciu. Jeśli coś wydaje się popsute, trzeba spróbować to naprawić, pracując nad redukcją stresu, obniżeniem ciśnienia czy zmniejszeniem liczby obowiązków, jakie na siebie bierzemy.

Relaks oznacza oczyszczenie umysłu i odtrucie ciała. Może przybierać formę pięciominutowego porannego rytuału albo samotnego wyjazdu co drugi miesiąc, ale celem świadomego przejścia na „tryb offline" jest przede wszystkim zwolnienie tempa i wsłuchanie się w umysł i ciało, by móc odpowiedzieć na ich potrzeby.

Ponieważ Szwedzi odpoczywają tak dużo, jak to tylko możliwe, by zaspokoić ducha lagom, przez wieki wynaleźli wiele sposobów relaksu. Poczynając od łaźni, spa, saun i terapii ziołowych, aż po masaż szwedzki, dobrze znany na całym świecie.

Jego koncepcję często przypisuje się gimnastykowi Perowi Henrikowi Lingowi, który wprowadzał w XIX wieku w zachodniej Europie „szwedzką terapię ruchem". W tym masażu całego ciała używa się różnorodnych technik, takich jak długie pociągnięcia, rozciąganie i ugniatanie, które mają poprawić krążenie krwi i zrelaksować tkanki i mięśnie, a także oczyścić ciało z toksyn.

Kiedy mówimy o dbaniu o siebie, lagom chce, byśmy w kwestii dobrego samopoczucia byli samolubni.

Oznacza to, że – ponieważ lagom daje naszym potrzebom pierwszeństwo nad naszymi zachciankami – powinniśmy przede wszystkim zaspokajać swoje fizyczne i emocjonalne potrzeby zdrowotne.

Często wydaje nam się, że czegoś chcemy, a w rzeczywistości jest to jedynie półprzezroczysta zasłona przykrywająca nasze prawdziwe potrzeby. Nasze osobiste drogi do dobrego samopoczucia są unikatowe i wymagają świadomości tego, w jakim punkcie życia się znajdujemy i czego nam brakuje na danym etapie.

Zaglądając za zasłonę i odpowiadając na te kluczowe pytania, możemy zacząć żyć zdrowiej, w sposób zrównoważony, pełen energii i zadowolenia.

„ Bezpieczeństwo, jakie daje system państwa opiekuńczego (model szwedzki), pozwala zrelaksować się i skupić na nas samych, naszym samopoczuciu i samorealizacji (zgodnie z hierarchią potrzeb Maslowa).

Dr Karin Weman, wykładowczyni psychologii aktywności fizycznej na Uniwersytecie w Halmstad ”

PILNOWANIE PRZESTRZENI OSOBISTEJ

Biorąc pod uwagę, że 97% Szwecji pozostaje niezamieszkane, a gęstość zaludnienia wynosi około dwudziestu osób na kilometr kwadratowy, trudno się dziwić, że Szwedzi lubią mieć dużo miejsca. W lecie wielu z nich tygodniami ukrywa się na licznych wyspach. W komunikacji miejskiej i przestrzeni publicznej zachowuje się odpowiedni dystans. Jeśli ktoś siada obok ciebie, to bardzo często oznacza, że wszystkie miejsca są już zajęte. Obcokrajowcy nie powinni brać tego do siebie: Szwedzi po prostu lubią odpowiednią przestrzeń.

Oczywiście lagom odgrywa tu swoją rolę. Wyraża się w zasadach właściwego postępowania i uważności, które każą zastanowić się, czy nie przysparzamy innym kłopotu, licząc na to, że oni odwzajemnią się tym samym.

Podobnie jak w przypadku milczącego kodeksu powściągliwości Szwedzi egoistycznie pilnują swojej przestrzeni osobistej, która często postrzegana jest jak osobista bańka mentalnego dobrego samopoczucia. Wszystko, co próbuje wepchnąć się do środka czy przekłuć barierę tej wygody, powoduje stres.

A lagom za wszelką cenę unika niepotrzebnego stresu.

Chce, byśmy postępowali samolubnie, upewniając się, że nasze osobiste ideały lagom są spełnione. Możemy zmieniać i modyfikować środowisko i otaczającą nas przestrzeń tak, by czuć się wygodnie.

Oczywiście, zachowując szacunek dla innych.

SIŁA SŁOWA „NIE"

„Lepsze szczere nie od nieszczerego tak".

Przysłowie szwedzkie

W kwestii brania na siebie dodatkowych obowiązków Szwedzi są szczerzy. Bez wahania odpowiadają, czy mogą coś zrobić, czy nie. Zwłaszcza w pracy nie ma żadnego owijania w bawełnę, krygowania się czy pogrążania w poczuciu winy.

Po części wynika to z faktu, że język szwedzki jest bardzo bezpośredni i pozwala szybko dotrzeć do sedna, bez tracenia czasu na zbędne słowa. Na przykład „idę w tamtą stronę" tłumaczy się jako *jag går dit* – „idę tam". Krótko i zwięźle.

Ta naturalna szczerość języka, połączona z ukrytą pod powierzchnią powściągliwością lagom, sprawia, że Szwedzi komunikują się w konkretny sposób, który przybyszom z zewnątrz może wydawać się niegrzeczny czy nieprzystępny.

Oznacza to również, że potrafią być brutalnie szczerzy i bezpośredni w swoich opiniach na temat określonej rzeczy czy sytuacji – na przykład tego, jak wyglądasz w danym ubraniu. Komplementy są rzadkie, ponieważ lagom, wraz z zazdrosnym kuzynem jante, wolą, by czyny mówiły więcej niż słowa.

Presja, jaką na siebie wywieramy, często wynika z nadmiernego zaangażowania. Trudno nam odmawiać przyjaciołom, rodzinie i kolegom. Często interpretujemy odmowę wykonania jakichś zadań jako odrzucenie tych osób, a nie tylko ich niewygodnych dla nas próśb. Oni z kolei mogą posądzić nas o złośliwość i wzbudzać poczucie winy.

Jednak w „nie" wypowiadanym przez wychowanego w duchu lagom Szweda nie ma zazwyczaj nic osobistego. Pozwala to zarządzać oczekiwaniami i uwalnia nas emocjonalnie, dzięki czemu możemy dalej iść właściwą drogą.

REGULARNE ĆWICZENIA + NAWYK AKTYWNOŚCI

Kiedy Szwed zaproponuje ci, byś pobiegł z nim w tempie lagom, poproś o doprecyzowanie, bo – jak już wiemy – lagom znaczy coś innego dla każdego z nas.

Twój powolny truchcik dla mnie może być sprintem.

Może się wydawać, że w sferze ćwiczeń fizycznych lagom objawia się jako bliskie lenistwu tempo „w sam raz", ale jest zupełnie inaczej. Konsekwencja rodzi się z przyzwyczajeń i nawyków, a lagom chce, by nasze życie było w pełni zrównoważone.

Dobre są ćwiczenia, które możemy uprawiać regularnie, zwyczaje, które bezboleśnie wplatamy w plan dnia, tak by nie wydawały nam się obowiązkami. Dla Szweda oznacza to na przykład codzienną jazdę do pracy na rowerze zamiast popołudniowej wizyty na siłowni.

Ze względu na pielęgnowany od dzieciństwa związek z naturą (którym zajmiemy się bliżej w jednym z kolejnych rozdziałów) Szwedzi przyjęli koncepcję friluftsliv jako istotny element dobrego samopoczucia. Zasada ta oznacza dosłownie „życie na świeżym powietrzu" i łączy się z Allemansrätten (prawo wszystkich), które gwarantuje wolny dostęp do natury. Dlatego też najbardziej lubią uprawiać sport pośród przyrody.

Wybierają zatem na przykład narciarstwo przełajowe w zimie zamiast korzystania z orbitreka na siłowni i jazdę na rowerze zamiast spinningu. W czasie wakacji Szwedzi skłaniają się ku aktywnemu odpoczynkowi na świeżym powietrzu.

Według Szwedzkiej Federacji Sportowej (Riksidrottsförbundet) 3,4 miliona obywateli między siódmym a siedemdziesiątym rokiem życia należy do klubów sportowych, 45% ćwiczy przynajmniej trzy razy w tygodniu, a 2,4 miliona regularnie bierze udział w zawodach.

Liczby te robią wrażenie, zwłaszcza jeśli weźmie się pod uwagę wielkość populacji – około 9,6 miliona – i sporo mówią o społeczeństwie działającym zgodnie z zasadą lagom, wedle której regularna aktywność fizyczna jest częścią stylu życia, nie nowinką, męczącym obowiązkiem czy utrapieniem.

„Wielu Szwedów zdaje sobie sprawę z dobroczynnego działania ćwiczeń i aktywności fizycznej. Mamy długą tradycję gimnastyki i spędzania czasu na świeżym powietrzu, cenimy też bliskość z naturą. Uznajemy, że „w zdrowym ciele zdrowy duch".

Dr Karin Weman, wykładowczyni psychologii aktywności fizycznej na uniwersytecie Halmstad"

ZDROWE DYSKUSJE

„Piękne pismo i mowa są tylko próżnością, jeśli człowiek nie żyje pięknie".
Brygida Szwedzka (1303–1373)

Surowe zasady lagom mogą sugerować, że Szwedzi są konserwatywni i powściągliwi. Jednak ich przekonania i zachowania nie są bynajmniej ani staroświeckie, ani nudne. Powściągliwość wynika z faktu, że Szwedzi nie bywają ekspresyjni bez powodu, jednak nie należą też do ludzi ponurych.

Lagom zachęca, byśmy realizowali swoje podstawowe ludzkie potrzeby, co sprzyja osiąganiu zadowolenia w życiu. Wiąże się z tym otwartość i szerokie horyzonty w sprawach związanych z tematami takimi jak seks czy nawet zwyczaje toaletowe, co w innych kulturach może uchodzić za niestosowne.

W rozmowach o seksualności i fizjologii panuje szczerość, a w podejściu do nagości swoboda większa niż w innych społeczeństwach. Kwestie uznawane za naturalne i wrodzone są często tematami rozmowy, podczas gdy unika się tych bardziej powierzchownych, jak zarobki, czy społecznie niewygodnych, jak imigracja czy integracja. Może to być odebrane negatywnie, ponieważ naturalną inklinacją lagom jest unikanie konfliktu i scysji podczas ważnych dyskusji, które należy podejmować, wchodząc w relacje społeczne.

Lagom uwalnia nas od kulturowego napięcia, które nie pozwala mówić o tematach konstytutywnych dla naszego człowieczeństwa. Przekonuje, że w optymalnym życiu nie ma powodów do wstydu, wyrzutów sumienia ani zażenowania.

DBANIE O SIEBIE

- Ciągłe podłączenie do sieci utrudnia życie w równowadze, może więc warto wybrać się na cyfrowy detoks?

- Naucz się mówić „nie". Często dajemy się wrobić w dodatkowe obowiązki, przez które tracimy cenny czas. Możemy uniknąć nadprogramowej pracy, robiąc krok w tył, by zastanowić się nad składaną nam propozycją, nim głośno odpowiemy „tak".

- Zadaj sobie pytanie: co oznacza dla ciebie „żyć dobrze"? Czy dobre życie obejmuje regularne ćwiczenia? Odpowiednio dużo czasu spędzonego samotnie? Medytację? Zrób własną listę.

- Spisz cele, które masz szansę zrealizować. Po co zgłaszać się do maratonu, jeśli dotąd nie biegałeś regularnie, skoro możesz zacząć od truchtu po okolicy?

- Małymi kroczkami buduj codzienne nawyki. Regularność powstaje dzięki konsekwencji, a nie przez forsowanie się. Kluczem do równowagi jest systematyczność.

- Naucz się słuchać swojego ciała i umysłu poprzez odpowiedni odpoczynek.

- Okazuj sobie wyrozumiałość. Porażki się zdarzają, najważniejsze to podnieść się i zacząć od nowa, kiedy to możliwe. A tylko ty wiesz, w którym momencie jesteś gotowy/a.

- Im bardziej otwarcie rozmawiamy o naturalnych tematach, takich jak seks, tym mniej w społeczeństwie hipokryzji.

MODA

+

URODA

„Nie ma złej pogody, są tylko złe ubrania".

Przysłowie szwedzkie

Piękno z pewnością jest w oku patrzącego, a w kwestii odziewania naszych ciał i prezentowania twarzy światu lagom ujawnia się, machając flagą z napisem „mniej znaczy więcej".

Wybiera subtelniejszą, bardziej naturalną estetykę zamiast przykuwającego uwagę wizerunku. Ponieważ lagom walczy z ekstremami, zachęca, byśmy dokonywali logicznych i praktycznych wyborów. Chce, byśmy zdobyli wiedzę o produktach i ubraniach, w które regularnie inwestujemy.

Każdy z nas ma inny gust, jeśli chodzi o odzież i kosmetyki. Jedni są bardziej, inni mniej odważni, jedni wolą mocniejszy, inni słabszy makijaż, dobrze skrojony garnitur od luźnych ciuchów, obcasy od płaskich butów. Lagom nie stara się zmienić naszej indywidualności ani nie popycha nas ku temu, co uważamy za „przeciętność".

Chce raczej, byśmy odnaleźli nasze własne wartości, żebyśmy wybierali wielofunkcyjne, trwałe produkty, które potrafią spełniać nasze ubraniowe i urodowe potrzeby, nie rujnując nas finansowo.

Szwedzkie kobiety lubią kosmetyki. Nie oznacza to, że nakładają makijaż ciężkimi pociągnięciami pędzla. Wręcz przeciwnie, używają ich powściągliwie, by subtelnie podkreślić rysy twarzy, a nie, by zmienić się w całkiem inną osobę. Nasze piękno jest dyskretne, a pamiętając o obecności jante, nigdy nie twierdzimy, że jesteśmy od kogokolwiek lepsi.

Chociaż przybyszom z zewnątrz może się wydawać, że Szwedki nie wykorzystują w pełni czy nie podkreślają wystarczająco swojej urody, lagom chce, by świat widział i doceniał nasze naturalne piękno, nieskrywane pod warstwami makijażu.

> Szwedzkie podejście do urody jest bardzo minimalistyczne: w naszym zabieganym życiu najważniejsza sprawa to skuteczne działanie. Dbanie o ciało od wewnątrz i od zewnątrz jest równie ważne co dbanie o twarz za pomocą dobrych kosmetyków. Lubimy wszystko, co można schować w torebce i bez trudu użyć w ciągu dnia.
>
> **Linn Blomberg, wizażystka i konsultantka**

Koreańska firma kosmetyczna LAGOM, której hasło reklamowe brzmi „Nie za dużo, nie za mało", podchwyciła koncepcję „mniej znaczy więcej" i opiera swoją markę na rutynowych zabiegach pielęgnacyjnych, używając bardzo prostych opakowań.

Jest również brytyjska marka ubraniowa o nazwie Lagom, która reinterpretuje lagom poprzez swobodne ubrania. Naturalny wygląd wymaga dużego nakładu finansowego. Para niebieskich dżinsów i beżowy, kaszmirowy sweter, który wygląda na znoszony, mogły kosztować całkiem sporo i zostać kupione ledwie dzień wcześniej. Nie wyróżniają nas z tłumu, nie zwracają uwagi, co mogłoby wprawić nas w zakłopotanie. Nie jest to niechlujstwo, lecz raczej swobodny szyk.

Lagom próbuje zawęzić wybór, by uprościć życie i dążyć do równowagi. Dostępność zbyt wielu opcji może mieć fatalny skutek.

W zachęcającym do oczyszczenia garderoby artykule, opublikowanym w brytyjskim piśmie „Red Magazine", Amy Davidson proponuje, byśmy pozbyli się ubrań, których nie mieliśmy na sobie od ponad roku, ponieważ jest duże prawdopodobieństwo, że jeśli nie potrzebowaliśmy ich przez dwanaście miesięcy, nie zaczniemy ich używać w czasie kolejnych dwunastu.

PRZYGOTOWANIE I PRAKTYCZNOŚĆ

Jak głosi stare nordyckie porzekadło, nie ma złej pogody, są tylko złe ubrania. Bycie przygotowanym na różne sytuacje i aspekt praktyczny mają większe znaczenie niż strojenie się. Ze względu na klimat i położenie Szwedzi są przyzwyczajeni do ostrych zim, podczas których kraj na długi czas pogrąża się w ciemności. Przez co najmniej pięć miesięcy wkładają na siebie liczne warstwy, które można zdejmować i wkładać, przemieszczając się pomiędzy ciepłymi, przytulnymi wnętrzami a nieprzyjemną aurą panującą na zewnątrz. Oznacza to również niemal pół roku noszenia wygodnych butów na płaskim obcasie, by uniknąć poślizgnięcia się na pokrytych lodem powierzchniach.

Zmienna i wymagająca pogoda na wiele sposobów wpłynęła na modę panującą w tej kulturze. Zmusza do dostosowania się, a to najczęściej owocuje wielowarstwowymi strojami „na cebulkę", których elementy można dowolnie mieszać.

Wybieramy więc przede wszystkim porządne ubrania, które chronią przed żywiołami. Zimowe rzeczy są często drogie, zatem ciągła wymiana garderoby szybko opróżniłaby nam portfel.

> ''Szwedzkie zimy są długie, a lata krótkie. W zimie Szwedzi ubierają się więc ciepło i wygodnie, a w lecie cieszą się słońcem, wkładając na siebie tak mało, jak to tylko możliwe.
>
> **Dr Philip Warkander, asystent na Wydziale Mody, Uniwersytet w Lund**''

Jakość jest kluczowa w przypadku rzeczy, które musimy nosić wiele razy – to właśnie promuje szwedzka moda, i wiele osób gotowych jest sporo za to zapłacić. Zazwyczaj decydujemy się na proste kroje i porządne materiały zamiast dużej liczby rzeczy.

Lagom podpowiada, że moje ubrania powinny spełniać podstawowe potrzeby przez długi czas. Należy więc inwestować w najlepszą jakość, na jaką mnie stać.

WSZECHSTRONNOŚĆ ZAMIAST VERSACE

"Jak na tak mały kraj, przemysł odzieżowy jest zaskakująco silny i dobrze rozwinięty dzięki rozpoznawalnym na świecie markom, takim jak H&M, Acne Studios czy Our Legacy.

Dr Philip Warkander, asystent na Wydziale Mody, Uniwersytet w Lund"

Chociaż zauważysz w Szwecji sporo sklepów drogich marek, tutejsza moda okazuje się prosta, luźna i bardzo swobodna. Podczas odbywającego się każdej zimy sztokholmskiego tygodnia mody można przyjrzeć się powściągliwemu szwedzkiemu stylowi, pełnemu nieskomplikowanych krojów i wielu warstw.

Nawet w sytuacjach służbowych dżinsy, koszula z długim rękawem i sweter są w pełni akceptowalnym strojem biurowym. Nie dotyczy to oczywiście spotkań z zagranicznymi klientami, przyzwyczajonymi do

URBAN
OUTFITTERS

garniturów i krawatów, oraz zebrań zarządu z kluczowymi udziałowcami czy inwestorami.

Szwedzi najchętniej kupują wielofunkcyjne ubrania, które można nosić na różne sposoby i w różnych zestawieniach. Czarna koszula z długim rękawem z ubrania służbowego zmienia się w wieczorowe dzięki dodaniu naszyjnika, a dzianinowa sukienka wygląda elegancko lub swobodnie, zależnie od tego, czy założy się do niej pasek.

Nie oznacza to, że Szwedzi ubierają się wyłącznie monochromatycznie. W kwestii mody są otwarci i często szybko przyjmują nowe trendy: od brodaczy noszących ubrania w kratkę po oryginalnie odzianych mieszczuchów z przylizanymi do tyłu włosami. Czy to kwieciste materiały, czy barwne wzory – podstawę stanowi indywidualny styl.

Dostępność sprawia jednak, że dominują „uniformy". Indywidualny styl może okazać się wyzwaniem, ponieważ czający się za plecami lagom zazdrosny jante nie chce, byśmy się wyróżniali. Ludzie wtapiają się w tłum, bo wolą nie rzucać się w oczy, a tym bardziej zwracać na siebie uwagi.

Zobaczysz więc hordy ubranych podobnie „indywidualistów". To uczciwość i dostępność, tak ważne dla szwedzkiej kultury, uczyniły modową markę Hennes & Mauritz (H&M) tak popularną na świecie. Stara się ona promować prosty, wszechstronny, łatwy w noszeniu świat szwedzkiej mody.

W sferze stroju lagom chce, byśmy postępowali rozsądnie, wybierając rzecz wielokrotnego użytku zamiast tej, którą włożymy raz, a która bez wątpienia zalegnie potem w naszej szafie na wiele miesięcy.

MODA Z RECYKLINGU

> ,, Kwestia zrównoważonego rozwoju stała się w Szwecji bardzo istotna również w zakresie mody. Pojawiła się świadomość, która wpływa na to, jak mówimy o modzie i jak postrzegamy samych siebie, nie tylko jako konsumentów, ale też obywateli i ludzi.
>
> **Dr Philip Warkander, asystent na Wydziale Mody, Uniwersytet w Lund** ,,

Szwedzi potrzebują rzeczy trwałych, które przez długi czas będą spełniać ich potrzeby, dlatego produkując materiały i tkaniny, dbają o wysoką jakość. Ponadto w kulturze przywiązanej do ponownego wykorzystywania przedmiotów, recyklingu i zrównoważonego rozwoju nie dziwi popularność sklepów vintage i second-handów. Co jeszcze ciekawsze, zaglądają do nich ludzie z różnych warstw społecznych.

W znanym z awangardowego charakteru rejonie Sztokholmu, dawnej siedemnastowiecznej dzielnicy nędzy Södermalm, znajduje się prawdopodobnie najwięcej sklepów vintage w całym mieście. Jednak nawet w bogatym Östermalm jest wiele miejsc tego typu.

Styl życia oparty na lagom wybierze zawsze jakość zamiast ilości, nawet jeśli tę jakość znajdzie się w second-handzie.

Z NAJLEPSZEJ STRONY

- Warto uprościć swoje zwyczaje związane z pielęgnacją urody. Można, na przykład, wyznaczyć sobie dni bez makijażu, by dać skórze odpocząć.

- Właściwe nawilżenie jest jednym z najlepszych zabiegów pielęgnacyjnych, pamiętaj więc, by codziennie pić odpowiednią ilość wody.

- Znajdź czas na posprzątanie w szafie. Czy naprawdę potrzebujesz pięciu podobnych czarnych sukienek z koronki albo białych koszul? Rzeczy nienoszone od dwunastu miesięcy warto oddać lub sprzedać.

- Trudność z podjęciem decyzji pojawia się często, kiedy mamy do wyboru zbyt wiele opcji. Ograniczenie możliwości pozwoliłoby nam uniknąć takich sytuacji.

- Kiedy następnym razem pójdziesz na zakupy, zrób takie ćwiczenie: spójrz na ciuch na wieszaku i spróbuj zwizualizować sobie, jak będzie wyglądał z różnymi akcesoriami. Jeśli uda ci się wymyślić pięć różnych strojów, możesz go zdjąć i dodać do swojej kolekcji.

- Czy zdarza ci się zaglądać do sklepów vintage lub second-handów? Wiele sprzedawanych tam rzeczy zrobiono z trwałych materiałów wysokiej jakości: to dlatego przetrwały już kilka dekad!

DESIGN + URZĄDZANIE WNĘTRZ

„Wszędzie dobrze, ale w domu najlepiej".

Przysłowie

Nasza wrodzona chęć poznawania świata i podróżowania na jego najdalsze krańce hamowana jest przez potrzebę pewności, bezpieczeństwa i przebywania w znajomym otoczeniu. Instynkt ten często sprawia, że szukamy wygody w naszych mieszkaniach, w których możemy schronić się i ukryć przed żywiołami, nim znów wyruszymy w drogę.

Pokolenie millennialsów zrodziło cyfrowych nomadów, przenoszących się z miejsca na miejsce, zwiedzających i tworzących tymczasowe domy na całym świecie. Niezależnie jednak od tego, czy nasze gniazdka są „na stałe", czy „na chwilę", każdy z nas jakiegoś potrzebuje. A jeśli możemy sobie na to pozwolić, projektujemy je i dekorujemy zgodnie z własnym gustem.

Tworzymy domy, które są odbiciem nas jako ludzi.

Nie ma wątpliwości, że obok licznych muzycznych talentów, filmów noir i potężnych kombi Szwecja dała nam minimalistyczne, nordyckie podejście do designu i dekoracji. Trwałe produkty dobrej jakości, zaprojektowane tak, by z dumą przetrwać zmieniające się pory roku, jednocześnie wyglądając stylowo i szykownie.

,, Mniej więcej sto lat temu Brytyjczycy używali w stosunku do typowo szwedzkiego designu określenia „szwedzka gracja". Był elegantszy niż ten od naszych północnych sąsiadów, ale nie tak monotonny jak europejskie projekty z epoki. W pewnym sensie przetrwał próbę czasu.

Claesson Koivisto Rune, szwedzkie partnerstwo architektoniczne ,,

KREOWANIE DOMOWEJ HARMONII

Jako że lagom chce, byśmy odnaleźli równowagę i by żyło nam się dobrze, stara się usuwać z naszego otoczenia czynniki stresogenne, tak by pozostały tylko spokój i harmonia.

W kwestii dekoracji mieszkania lagom kieruje nas ku rzeczom osobistym, przedmiotom o wartości emocjonalnej i elementom estetycznym, które sprawiają nam przyjemność. Może to być tani, drewniany słoń, którego przywieźliście z Tajlandii, albo fotel vintage, na który oszczędzaliście miesiącami.

Zaprasza do domów harmonię poprzez unikanie bałaganu i zachowywanie równowagi między praktycznością a drogimi naszemu sercu pamiątkami. Najlepiej, gdy jeden przedmiot łączy obie funkcje: użytkową i sentymentalną. Wszystko, co nie mieści się w tych dwóch kategoriach – praktycznej i emocjonalnej – uznać można za niepotrzebne i nadmiarowe.

„Nie ma nic złego w mieszaniu starego z nowym, łączeniu w meblach różnych stylów, kolorów i wzorów. Rzeczy, które ci się podobają, automatycznie scalą się, tworząc relaksującą całość.

Josef Frank, XIX-wieczny austriacki architekt i projektant mieszkający w Szwecji"

Lagom chce, by nasze rzeczy albo miały konkretne zastosowanie, albo przynosiły radość. Najważniejsze jest stworzenie przytulnego miejsca, które uczyni nas szczęśliwymi i uspokoi w jednej chwili po przekroczeniu progu domu. Od zapachów, budujących poczucie przynależności, przez rośliny, które wprowadzają naturalny element do naszych mieszkań, zestawienia kolorystyczne, które wybieramy z palety ulubionych barw, aż po zdjęcia i dekoracje, zdobiące ściany i półki.

Ta koncepcja budowania harmonii wykracza poza szwedzki styl życia. Taoistyczne, zakorzenione w kulturze chińskiej feng shui ma na celu wprowadzanie ładu między nami a otoczeniem. Wedle tej filozofii istnieją łączące nas, niewidzialne siły energetyczne, które płyną i poruszają się nieprzerwanie. Zasady feng shui można stosować w sposobie budowania i projektowania naszych domów, by zapewnić swobodny przepływ tej energii.

Choć szwedzki design nie ma duchowych korzeni, dąży do tego samego, czyli do harmonii, tworząc przestrzenie, które wydają się nam doskonałe, i pozwalając poczuć się dobrze we własnych, bezpiecznych gniazdach lagom.

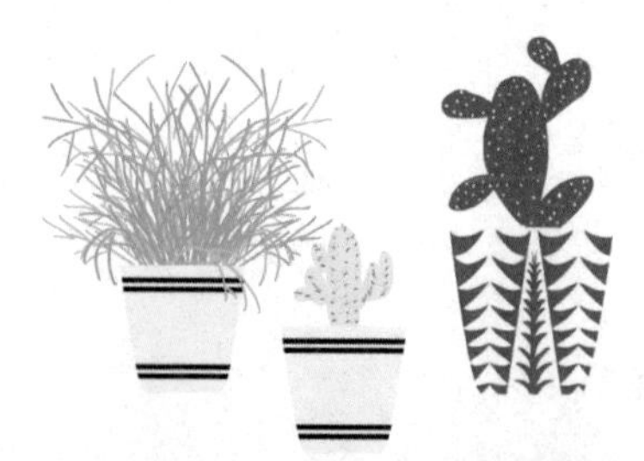

,,

HARMONIA W SĄSIEDZTWIE

Rzut oka w przeszłość: tradycyjne szwedzkie chatki

Tradycyjne stugor (chatki) wybuchają intensywną czerwienią pośród zielonej szwedzkiej wsi. Nazwa tego głębokiego, miedzianego odcienia, czerwień faluńska, pochodzi od miasta Falun w Dalarnie. Od XVI do XIX wieku była to najtańsza dostępna farba, więc wiele domów pokrywano tym samym intensywnym, ciepłym odcieniem.

Bogatsi mogli malować swoje domy na żółto lub biało, ale to był już szczyt ekstrawagancji. Zastanawiam się czasem, jak ludzie wskazywali sobie drogę, nim wprowadzono drogowskazy.

Idź prosto, aż zobaczysz czerwoną chatę Nilssona, potem skręć w lewo i idź, aż zobaczysz czerwoną chatę Arvida. Skręć w prawo przy czerwonej chacie Svena, a dotrzesz do czerwonej chaty Olofa.

Lola A. Åkerström, *Due North:A Collection of Travel Observations*

,,

ELEGANCJA W PROSTOCIE

Lagom zaproszony do domu podpowiada, że najlepsza jest prostota. Chce, żebyśmy nie patrzyli na nasze wnętrza jak na gotowe obrazy, ale raczej jak na czyste płótna, na których stworzymy przestrzenie żywej sztuki, a której elementami można żonglować i dopasowywać do siebie jak klocki – stąd bierze się urok sieci IKEA, produkującej elementy funkcjonujące zarówno razem, jak i osobno. Jeśli chodzi o dekorację wnętrz, lagom zachęca do podejścia „mniej znaczy więcej". Chce, byśmy dostrzegali elegancję prostych linii, widzieli gustowność w pustych przestrzeniach, wyrafinowanie w umiarze i stworzyli stanowiącą punkt wyjścia bazę neutralnych kolorów. Ta podstawa pomaga umieścić w centrum zainteresowania przedmioty o wartości sentymentalnej i pamiątki.

Jak już wiemy, lagom zakłada, że nasze potrzeby są ważniejsze od naszych zachcianek, powinniśmy więc skupić się przede wszystkim na jakości, trwałości i praktyczności.

- Mebel czy przedmiot jest praktyczny, kiedy jest prosty i bardzo łatwy w użyciu.
- Abyśmy mogli ciągle go używać zgodnie z naszymi potrzebami, musi być zrobiony z trwałych składników wysokiej jakości, które przetrwają wiele lat.
- Ponieważ zaś zaprojektowany jest tak, by służyć długo, będziemy na niego często patrzeć – dlatego musi być ładny.

Trzy najważniejsze cechy szwedzkiego designu to funkcjonalność, jakość i estetyka.

" Dobry design powstaje jako efekt starań, by osiągnąć w naszej pracy pewną ponadczasowość dzięki niepoddawaniu się trendom. Materiały dobrej jakości i biegłość rzemiosła to elementy tego równania.

Claesson Koivisto Rune, szwedzkie partnerstwo architektoniczne "

Pozory czasem mylą.

Kanciaste, futurystyczne krzesło, które rozpoznajemy jako typowy produkt nowoczesnego, skandynawskiego designu, zostało zaprojektowane ergonomicznie, by twojemu kręgosłupowi było jak najwygodniej. Projektowanie jest rozważne i świadome, a funkcjonalność idzie w parze z elegancką prostotą.

Pamiętaj, że lagom oznacza praktyczność, niezależnie od tego, jak niezwykły byłby wygląd danego przedmiotu.

Przemyślany design

Szwedzki design przekracza kolejne granice innowacyjności i zrównoważonego rozwoju. Projektantka mebli Monica Förster stworzyła linię krzeseł Lei dla marki Officeline, które są zaprojektowane w taki sposób, by maksymalnie wspierać kobiece ciała podczas pracy.

" Chciałam, by kształt Lei podyktowany był funkcją, pomiarami i rozwiązaniami technicznymi, opartymi na szeroko zakrojonych badaniach ergonomicznych skupiających się na tym, czego kobiety oczekują od biurowego krzesła i czym ich sposób siedzenia różni się od męskiego.

Monica Förster, szwedzka projektantka "

ŚWIATŁO, PRZESTRZEŃ I WZORY

Szwedzi mają obsesję na punkcie światła.

Każde źródło światła jest bardzo szanowane, a instynkt jego poszukiwania zrodził się podczas wielu stuleci ciemnych, długich zim. Pierwsze promienie słońca, oznaczające nadejście wiosny, przyjmowane są często z wielką radością.

Od przytulnego blasku świec na stołach po ciepłą poświatę lampy w progu, prowadzącą nas przez ciemność, światło we wszystkich możliwych kształtach jest kluczowe dla szwedzkiej kultury.

Znajdziecie w Szwecji przestronne mieszkania z mnóstwem wolnej przestrzeni rozjaśnionej lampami. A tych jest wiele rodzajów: od stojących i stołowych, przez świeczniki i papierowe latarnie, po żyrandole i reflektory.

Oświetlenie szwedzkiego domu to poważne przedsięwzięcie, co najmniej równie ważne jak wybór kanapy.

Światło rozjaśnia nie tylko dom, ale też, metaforycznie, nasze dusze. Odgania rozpacz i daje promyk nadziei. Lagom chce, by nasze domy – nasze „szczęśliwe miejsca" – były tak jasne, jak to tylko możliwe.

Wiemy już, jak bardzo Szwedzi cenią swą prywatną przestrzeń: nawet najmniejsze mieszkanka wyglądają świeżo, ponieważ są świadomie zaprojektowane tak, by przestrzeni było w nich jak najwięcej.

Pomimo tego dążenia do neutralności i prostoty w szwedzkich domach nie brakuje wzorów i żywych barw. Różnorodne kształty i faktury rozsiane są pod postacią materiałów, z których uszyto poduszki, kapy, narzuty i serwety.

Od biało-niebieskich, marynistycznych pasków po łatwo rozpoznawalny osiemnastowieczny szwedzki wzór ludowy czy wyraziste, kwiatowe motywy zwane Kurbits, wybierane przez nas tkaniny spełniają często jednocześnie funkcję praktyczną i sentymentalną. Przynosimy do domów ręczniki, poduszki i serwetki, by codziennie ich używać, jednak wzory, kolory i kształty, na które się decydujemy, odzwierciedlają naszą osobowość.

Tkaniny, jakimi wykładamy nasze gniazda, odgrywają ważną rolę w tworzeniu harmonijnych, ciepłych przestrzeni, obdarzających nas spokojem.

> ,, Mocne kolory i wzory potrafią osłabić uczucie uwięzienia. Nawet najmniejszą skrytkę można uczynić ekscytującą za pomocą oryginalnej tapety.
>
> **Josef Frank, XIX-wieczny austriacki architekt i projektant mieszkający w Szwecji** ,,

RÓWNOWAGA W DOMU

W dalszej części książki zajmiemy się tym, w jaki sposób Szwedzi postrzegają zrównoważony rozwój, już teraz jednak zastanówmy się, co oznacza on w sferze wyborów, jakich dokonujemy w naszych domach.

Lagom chce bowiem, byśmy nie tylko stworzyli dla siebie idealne siedziby, ale też, byśmy byli w stanie je utrzymać. Byśmy zachowali równowagę między indywidualnymi potrzebami a potrzebami otoczenia, w którym żyjemy.

Oznacza to kultywowanie nawyków dodających nam sił, ale będących też wyrazem społecznej odpowiedzialności i świadomego podejścia do środowiska i używania jego zasobów „w odpowiedniej ilości", tak by wystarczyło dla wszystkich.

CNOTA MINIMALIZMU

Niepotrzebna presja rodzi się z prób kreowania stylu życia, na który nas nie stać. Kontrolując i podając w wątpliwość podejmowane decyzje, możemy zmodyfikować poglądy i odnaleźć idealną przestrzeń.

Po co mieć dom, jeśli duże mieszkanie całkowicie zaspokaja nasze potrzeby i oszczędza nam stresu związanego z kosztami utrzymania?

Gdy tworzymy naszą idealną siedzibę, lagom zachęca do wprowadzania małych zmian, które podniosą jakość życia.

Minimalizm uwalnia nasze umysły od niepotrzebnych, obciążających zadań i zobowiązań. Poza wolnością, którą nam daje, pozwala również wyraźniej, na czystym, uporządkowanym tle, zobaczyć nasze oczekiwania.

Kiedy naturalne inklinacje i gusta zostają ujawnione, zaczynamy budować własne przestrzenie uznania, bezpieczeństwa i harmonii.

,, W minimalizmie nie chodzi o ograniczanie się, lecz o znajdowanie wartości w rzeczach, które się już posiada. Minimaliści robią to, pozbywając się wszystkiego, co zbędne, zachowując tylko te rzeczy, które są potrzebne lub przynoszą radość. Wszystko inne można wyrzucić.

Joshua Fields Millburn, połowa tandemu The Minimalists ,,

UDOSKONALANIE DOMU

- Lagom nie nakłania nas, byśmy zaprojektowali nasze domy od nowa. To byłoby nierealistyczne i bardzo drogie. Chce, byśmy zadali sobie pytanie, po co nam dany mebel czy zajmujący miejsce przedmiot.

- Zacznij sprzątanie od zrobienia dwóch list – praktycznej i emocjonalnej. Wszystkie przedmioty, które nie należą do żadnej z tych kategorii, kwalifikują się do wyrzucenia.

- Niech się stanie światłość! Spróbuj rozjaśnić swoją przestrzeń za pomocą sztucznych i naturalnych źródeł. Badania dowodzą, że nasza natura dąży ku światłu, ponieważ podświadomie wiemy, że poprawia nam ono humor.

- Być może nadeszła pora, by poprzestawiać meble, zwłaszcza jeśli patrzysz na ten sam układ od lat. Lubimy symetrię i pociąga nas wizualna równowaga.

- Jeśli nie mamy pełnej kontroli nad urządzeniem miejsca, w którym mieszkamy, możemy stworzyć swoje własne, uporządkowane kąciki, zaprojektowane w naszych ulubionych barwach.

- Świeże rośliny i kwiaty w domu oczyszczają powietrze i poprawiają samopoczucie.

- Wiesz, czym jest upcykling? Zamiast wyrzucać przedmiot, warto spróbować znaleźć mu nową funkcję.

ŻYCIE TOWARZYSKIE + ZABAWA

„Przyjemność i powaga powinny rozkwitać razem".

Przysłowie szwedzkie

Jesteśmy istotami społecznymi, które szukają zainteresowania i pociechy u innych.

Chcemy być akceptowani, chcemy należeć do grupy, a podświadomie potrzebujemy bliskości innych ludzi, by nie doświadczać samotności. Często lepiej odnajdujemy się w społecznościach, w których każdy traktowany jest jak członek rodziny i panuje mentalność wspólnotowa.

Na peryferiach kultur skupionych na indywidualności i samowystarczalności powstają natomiast przestrzenie izolacji. Czujemy się wykluczeni i osamotnieni, mamy mimowolne wrażenie bycia outsiderem. Trudniej jest się zaprzyjaźniać, aktywne życie towarzyskie przychodzi z większym wysiłkiem, niż to być powinno, a uczucie pustki towarzyszy nam częściej, niż byśmy chcieli.

Tak właśnie jest w szwedzkim społeczeństwie opartym na zasadzie lagom, która zakłada, że powinniśmy wpierw skupić się na naszych osobistych potrzebach, nie denerwując przy okazji sąsiadów.

Mimowolnie powstaje w ten sposób społeczeństwo skierowane ku wnętrzu, gdzie ludzie są wystarczająco otwarci, by pozwalać sąsiadom robić, co chcą, a jednocześnie otaczają swoje życie bańkami, które nie przepuszczają czynników stresogennych, dyskomfortu i obcości.

Często powtarzam, że Szwecja to najbardziej otwarte ze społeczeństw złożone z najbardziej zamkniętych w sobie ludzi.

W sferze społecznych interakcji i zabawy lagom przybiera szaty stosowności i uczciwości. A kiedy dochodzi do głosu w relacjach międzyludzkich i odciąga nas od skupienia na sobie, zazdrosny kuzyn jante często czai się z tyłu, niosąc negatywne emocje.

Dlatego też, pomijając kwestię konkretnych osobowości, spotkanie ze Szwedem poza granicami jego ojczystego kraju może być zupełnie innym doświadczeniem niż analogiczna sytuacja w Szwecji. Za granicą, w sytuacjach grupowych, Szwedzi często porzucają promowaną przez lagom stosowność, obawiając się, że zostanie uznana za nieatrakcyjną. Wielu na przykład chwali się swoim krajem, ale po powrocie znów go krytykuje.

Czego więc może nauczyć nas lagom, gdy spędzamy czas i bawimy się z innymi?

LOJALNOŚĆ I SOLIDARNOŚĆ

„Skoro grasz, akceptujesz zasady".

Przysłowie szwedzkie

Jest kilka cnót, których szukamy w każdym społeczeństwie, w jakim się znajdujemy. Niezależnie od tego, czy jesteśmy introwertykami, czy ekstrawertykami, chcemy funkcjonować w kulturze, która pozwoli nam cieszyć się takim życiem towarzyskim, jakiego pragniemy, i to przy minimalnym wysiłku.

Jak już wiemy, akceptowane kulturowo korzenie lagom tkwią w dynamice grupy – podobno sięgają czasów wikingów. Samo słowo jest skrótem wyrażenia „laget om" (dla drużyny), lagom jest więc wyraźniejszy i łatwiejszy do uchwycenia w sytuacjach społecznych. Ze względu na podejście „dla każdego coś miłego" często przenosi uwagę z nas samych na grupę, upewniając się, że nie naruszamy czyichś praw. Szuka głębokiej lojalności wśród osób dzielących to samo filozoficzne podejście do życia i stara się budować solidarność w naszej metaforycznej drużynie, wewnątrz społeczeństwa.

To dlatego nowi mieszkańcy Szwecji często skarżą się, że nie mogą nawiązać przyjaźni. W istocie, Szwedzi mają swoje małe kręgi towarzyskie, a większość należących do nich osób znają od dzieciństwa. Dołączenie do drużyny wymaga pełnego zaufania i lojalności, a gdy zaobserwowane zostanie jakiekolwiek niewłaściwe zachowanie, należy spodziewać się głośno wyrażonego niezadowolenia.

Jeśli oczy są zwierciadłem duszy, można przyjąć, że szwedzka inklinacja do przedłużonego kontaktu wzrokowego, dominującego nad językiem ciała, służy ocenie. Chociaż długie spojrzenia dla reprezentantów innych kultur bywają denerwujące, Szwedzi zadają w ten sposób pytanie: czy mogę zaufać ci na tyle, by wpuścić cię do mojego świata?

Kiedy jednak skorupa pęka, jesteś na dobrej drodze do znalezienia szwedzkiego przyjaciela na całe życie, ponieważ lagom wiąże się z zaufaniem, sprawiedliwością i lojalnością.

Jak na boisku, podczas meczu rugby, kiedy skrzydłowi są zwarci i gotowi, lagom, jako łącznik, ufa, że jesteśmy w stu procentach przyszykowani na przyjęcie piłki. Piłka zaś symbolizuje to, co jest najdroższe sercu.

Lagom stara się stworzyć wokół nas doskonałą równowagę. Chce, byśmy byli wiarygodnymi członkami drużyny, na których można liczyć, którzy zrobią to, co obiecają. Z zaufania i lojalności bierze się poczucie bezpieczeństwa – trygghet.

To dlatego Szwedzi uwielbiają sporty zespołowe i różne kluby, a ich członkowie spotykają się regularnie.

,, **Rama społeczna**

Szwedzi socjalizują się podczas aktywności, które nazywam „ramowymi". Warto zapisać się do organizacji, klubu sportowego lub wziąć udział w jakichś grupowych zajęciach. Jeśli zrobisz ze Szwedami coś praktycznego, po kilku miesiącach (lub latach) możesz zostać zaproszony na spontaniczne spotkanie przy kolacji czy kawie.

Inną formą aktywności ramowych są quizy i gry, które Szwedzi chętnie wykorzystują, by ludzie poczuli się dobrze podczas interakcji ze znajomymi.

Te ramowe aktywności usuwają typową dla Skandynawii niezręczność, która pojawia się podczas rozmowy z kimś obcym: zapewniają bezpieczną, społeczną ramę interakcji, dzięki której zawsze wiadomo, co powiedzieć!

Julien S. Bourrelle, autor książki *The Social Guidebook to Sweden* ,,

Nawet poza grupami i klubami stworzono społeczne ramy: zorganizowane, niezbyt spontaniczne okoliczności sprzyjające socjalizacji. Są to m.in. hostlov i sportlov, tygodniowe przerwy świąteczne jesienią i zimą, kiedy wszyscy mogą wyjechać na aktywne wakacje z rodziną, czy fredagsmys (przytulne piątki), kiedy rodziny zostają w domu, by oglądać telewizję, jeść i bawić się.

Lagom, poza indywidualnością, pożąda zawsze kontekstu i porządku.

CICHA PEWNOŚĆ SIEBIE VERSUS POPISYWANIE SIĘ

„Samochwalstwo brzydko pachnie".

Przysłowie szwedzkie

W sferze lagom czyny mówią więcej niż słowa.

To, co robimy na co dzień, krzyczy tak głośno, że gdyby lagom był słoikiem na normy, trudno byłoby go wypełnić. Lagom uważa bowiem, że wszystko wie najlepiej – i tak też się zachowuje.

Podczas gdy wiele kultur jest bardziej otwartych, jeśli chodzi o chwalenie się i publiczne eksponowanie sukcesów, lagom chce, byśmy powstrzymywali nasze emocje, ponieważ nie powinniśmy pozwolić, by inni czuli się źle, gdy my święcimy triumfy. Wszyscy mają prawo do pewnego poziomu szczęścia, nawet jeśli są po stronie przegranych we właśnie zakończonej grze. Łatwo to sprawdzić, oglądając szwedzki teleturniej, w którym uczestnik wygrał właśnie milion koron: jego powściągliwa reakcja zapewne będzie się różnić od twojej czy mojej.

Dzieci od najmłodszych lat w różnych sytuacjach uczy się, by z sobą nie konkurowały. Nie powinny czuć, że muszą być lepsze od innych. Najważniejszy jest udział.

Poczucie sprawiedliwości, jakie niesie za sobą ten etos, oznacza, że samochwalstwo i brawura są raczej niemile widziane, a zwycięzcy mogą odnieść wrażenie, że jeśli będą się za bardzo cieszyć, narażą się na krytykę. Choć pozornie stoi to w sprzeczności z kluczowymi zasadami lagom, który chce, by każdy dbał przede wszystkim o swoje potrzeby i osobistą równowagę, trzeba pamiętać, że należy zawsze zbilansować je z potrzebami zbiorowości.

Jak więc mamy żeglować po mrocznych wodach własnej przyjemności, wciąż poruszanych prądem grupy?

W tym momencie przeciwnicy lagom często protestują.

Czy naprawdę nie wolno cieszyć się publicznie z naszych osiągnięć? Dlaczego mamy brać na siebie niepotrzebny ciężar cudzych opinii? Czyżbyśmy nie zapracowali na nasze sukcesy?

Zaraz, zaraz... czy rzeczywiście widzimy tu lagom, czy może pomyliliśmy go z kuzynem jante?

Pamiętaj, że kiedy lagom pojawia się w sytuacjach grupowych, jante jest tuż obok, niosąc za sobą zazdrość i krytykę, ponieważ mój lagom nie jest twoim lagom.

Gdybyśmy zdjęli maskę jante i przyjrzeli się sytuacji z bliska, zobaczylibyśmy, że lagom chce, byśmy w zrównoważony sposób bilansowali uczucia. Tak, by nie iść ku żadnemu z ekstremów, które osłabiłyby nas aż do stanu emocjonalnego rozchwiania. Kiedy pozwalamy, by przemawiały nasze działania, okazujemy wrodzoną pewność siebie.

Ciągłe chwalenie się często przesadnie podnosi oczekiwania i mimowolnie wywiera presję, by osiągać i robić coraz więcej i więcej. Kiedy nie udaje nam się spełnić złożonych obietnic, szybko tracimy zaufanie i wiarygodność. Tego właśnie obawia się mentalność oparta na lagom. Utraty zaufania.

> ,, Koncepcja lagom stworzyła kulturę opartą na sprawiedliwości i zaufaniu. Powstrzymuje nadmierną konsumpcję i egoizm, upewnia się, że cała drużyna – czy to w szkole, czy to w firmie, czy w całym kraju – dostaje swoją, sprawiedliwą część.
>
> **Dr. Kjell A. Nordström, szwedzki mówca, pisarz, przedsiębiorca i ekonomista** ,,

Nawet randka zmusza do włożenia kapelusza detektywa i zadawania mnóstwa pytań, ponieważ Szwedzi nie chwalą się osiągnięciami ot tak – bez powodu, zresztą w ogóle niewiele mówią.

Reakcje szwedzkich sportowców na międzynarodowych zawodach to szybka lekcja lagom. Są oni kulturowo uwarunkowani, by powściągać emocje i dać przemówić swojej sprawności. Ich zachowanie jest wyważone i odpowiednio zdystansowane, ale jednocześnie nie bagatelizują osiągnięć, na które ciężko zapracowali.

Sukcesy wciąż świętuje się z umiarem, chociaż zmienia się to powoli, ze względu na różnorodność kultur i emocji, jakie przynoszą z sobą sportowcy będący imigrantami w drugim pokoleniu.

Kiedy osiągnie się więcej, niż oczekiwano, wypowiedzi pytanych przez dziennikarzy zawodników brzmią mniej więcej tak:

„Poszło mi nieźle, ale to drużyna wygrała".

„Robię wszystko dla drużyny".

„Nieważne, kto strzela gola, póki razem wygrywamy".

Ponieważ Szwedzi zazwyczaj nie używają języka ciała, by komunikować się czy uzewnętrzniać emocje, najczęściej muszą polegać na słowach, aby wyjaśnić, co czują. Niestety, język szwedzki jest bardzo bezpośredni i szybko dociera do sedna. Oto więc przykład kwiecistych wyrażeń.

Wspaniały mecz podsumować można słowami: *Det var otroligt!* (To było niesamowite!). Gdy dodać do tego słowo *helt* (absolutnie), osiągniemy szczyt entuzjazmu: *Det var helt otroligt!* (To było absolutnie niesamowite!).

Lagom łatwo pomylić z nieśmiałością, ale to dalekie od prawdy. Lagom zakłada umiar na własnych zasadach. To sposób na ustalanie poziomu oczekiwań – kiedy je spełniamy lub przekraczamy, jesteśmy postrzegani jako osoba dbająca o wysokie standardy.

Poza tym, kiedy zdajemy sobie sprawę, że po raz kolejny popisujemy się jako jedyni w grupie, zaczynamy rozumieć ten milcząco przyjęty kodeks postępowania.

SAMODZIELNOŚĆ W SYTUACJACH SPOŁECZNYCH

„Odpłacaj pięknym za nadobne".
Przysłowie

Wracając do pokory: lepiej oddzielić to słowo od lagom.

Owszem, Szwedzi potrafią być nieśmiali i wstydliwi w towarzystwie nieznajomych i w sytuacjach, które wydają im się niewygodne i nieoswojone. Jest to zresztą naturalna reakcja na to, co obce, kiedy próbujemy rozszyfrować i zrozumieć się nawzajem. Pokora zakłada jednak pewną uległość i służalczość, które są bliskie nieśmiałości. Słowa te jednak stają w wyraźnej opozycji do kultury, która opiera się na bezpośredniej komunikacji i takimż języku.

Ponieważ w pozornie egalitarnym społeczeństwie wszyscy mają być traktowani równo i sprawiedliwie, lagom idealista nie chce, byśmy byli wobec siebie ulegli. Woli, byśmy kroczyli obok siebie równi, ale niekoniecznie trzymając się za ręce.

Chociaż lagom troszczy się o sąsiadów, nie jest w swej istocie służalczy, opiera się na sprawiedliwości i równości. Chce, byśmy byli samowystarczalnymi, niezależnymi wyspami, nieodpowiadającymi przed nikim. Byśmy brali ze społeczeństwa tylko to, co konieczne, pozostawiając wystarczająco dużo w obiegu. Byśmy starali się rozwiązywać nasze problemy sami, nie prosząc o pomoc.

Istnieje nawet szwedzkie przysłowie, które głosi, że sam jesteś swoim najlepszym pomocnikiem.

Ta gra w samowystarczalność toczy się w różnych kontekstach społecznych, zwłaszcza jednak przy okazji zakupów i jedzenia na mieście. Sprzedawcy rzadko zajmują się klientem, a kelnerzy nie podchodzą do stolika, jeśli nie wezwiesz ich spojrzeniem lub gestem. Ludzie pochodzący z kultur bardziej zorientowanych na służenie innym mogą uznać to zachowanie za lekceważące czy nonszalanckie.

Rachunki w restauracjach są niemal zawsze dzielone i to bardzo szybko, nim jeden z gości doprowadzi do niezręcznej sytuacji, próbując zapłacić całość. Dla kogoś wybierającego się na randkę i spodziewającego się pokrycia kosztów jedzenia i wina ta kulturowa norma może okazać się niespodzianką. Szwedzi są przyzwyczajeni do dzielenia rachunków i odpłacania za przysługi, tak by nie być nikomu nic dłużnym, zwłaszcza finansowo.

Pamiętaj, że lagom szuka równowagi, a wszystkie gesty, które nie zostają odpowiednio odwzajemnione, odbierane są jako jej zaburzenie i przesadne przechylenie szali na jedną stronę.

Ta podświadoma samowystarczalność objawia się również w związkach miłosnych: często zdarza się, że pary żyją z sobą bez ślubu przez wiele lat, mają nawet dzieci, ale wciąż osobne finanse. Wiele osób odrzuca ideę ślubu, który postrzegany jest często jako wieczna zależność od innej osoby.

Jak mam znaleźć mój własny poziom lagom, skoro jestem wciąż emocjonalnie związany z inną osobą?

SZTUKA CIERPLIWOŚCI

„Oczekiwanie na coś dobrego nigdy nie jest zbyt długie".

Przysłowie szwedzkie

Choć współczesny świat natychmiastowej gratyfikacji i nadmiaru bodźców podsycanych przez media społecznościowe nieustannie osłabia naszą zdolność ćwiczenia cierpliwości, sprawdźmy, co o sztuce powściągliwości ma do powiedzenia lagom.

Praktykowanie lagom nie oznacza, że stajemy się automatycznie odporni na niezadowolenie i niepokój. Warto jednak zauważyć, że istnieje przestrzeń, w której unika się niepotrzebnych konfliktów, konfrontacji i niecierpliwych zachowań.

By uchronić się przed takimi sytuacjami, Szwedzi nauczyli się na przykład stać w kolejce. Chociaż może to przypominać obraz stojących w rzędzie lemingów, stanowi mentalną reakcję obronną, uruchamianą od razu, kiedy idziemy coś załatwić.

Gdy wejdziesz w Szwecji do sklepu, apteki, delikatesów, urzędu czy banku, prawdopodobnie natkniesz się na system kolejek. Maszyny wydają numerki, które są wywołane, kiedy nadchodzi pora na danego interesanta.

Chociaż systemy kolejek i numerków nie są charakterystyczne wyłącznie dla Szwecji, częstotliwość, z jaką spotyka się tu te urządzenia – jak na ironię czasem trudne do znalezienia – pomaga ćwiczyć cierpliwość i spokój umysłu. Ponieważ spodziewasz się, że w danej sytuacji trzeba będzie poczekać, przygotowujesz się mentalnie, planujesz i, przede wszystkim, nie stresujesz się, wiedząc, że cierpliwość jest tu niezbędna. Lagom walczy ze wszelkimi formami stresu niczym z epidemią i aktywnie działa na rzecz unikania konfrontacji i dostosowywania się do grupy.

SZACUNEK DLA CZASU

Lagom wymaga nie tylko szacunku dla siebie samych, ale też dla innych, poprzez życie zgodne ze złotą zasadą: traktuj innych tak, jak sam chciałbyś być traktowany. Daj im odpowiednio dużo przestrzeni i nie trać ich cennego czasu i środków. Chowając się pod peleryną właściwego zachowania, lagom stara się szanować wszystkich wokół i nikomu nie przeszkadzać. Powinniśmy wygodnie dzielić przestrzeń z innymi ludźmi, ceniąc ich czas i ich samych.

Cnotę tę wyraźnie widać, gdy mowa o punktualności.

Szwedzi są z punktualności znani, w domu, w pracy i podczas zabawy. Dzieci docierają na czas do przedszkola, dorośli – na spotkania biznesowe, a przyjaciele zaczynają pić drinki o wyznaczonej porze. Transport publiczny odjeżdża punktualnie. Dotrzymuje się terminów, a spóźnienie potrafi zaburzyć plan działania.

Wiele kultur ma bardziej liberalne podejście do zarządzania czasem, ale styl życia oparty na lagom zakłada, że moje działania nie powinny przeszkadzać cudzym planom. Jeśli umówiliśmy się na jakąś godzinę, musimy dotrzymać słowa.

Jeśli nie można nam zaufać, bo spóźniamy się bez wyraźnego powodu, czy zasłużymy na to, gdy zostaniemy dopuszczeni do wąskiego kręgu przyjaciół?

Pamiętajmy, że lagom czerpie siłę z zaufania, by budować lojalność.

CZAS NA PRZERWĘ

- W sferze życia towarzyskiego siła lagom tkwi w działaniu grupowym. Chce, byśmy wszyscy byli godnymi zaufania graczami zespołowymi. Kiedy ostatnio poświęciłeś wszystko dla grupy?

- Ograniczenie przechwalania się może wprowadzić niespodziewane wartości Może warto miło zaskoczyć nowego znajomego, nie pokazując od razu wszystkich kart? Często w ten sposób buduje się podziw – poprzez uwodzicielską sztukę stopniowego odsłaniania się.

- Może przyszedł czas, by dołączyć do jakiegoś klubu i rozwijać swoje hobby? Zacznij znowu kołysać się w rytm salsy, brzdąkać na gitarze, grać w rugby czy malować. Dzięki temu można budować ciekawe życie towarzyskie, pełne interesujących ludzi.

- Szwedzi utrzymują kontakt wzrokowy podczas rozmowy. My również możemy doskonalić umiejętność patrzenia ludziom prosto w oczy. Podnosi to poczucie własnej wartości.

- Należy robić to, co obiecujemy, i mówić to, co myślimy. Udaje się to osiągnąć, nie obiecując zbyt wiele i tworząc realistyczne granice tego, co możemy zrobić. Niech nasze czyny mówią same za siebie.

- Jeśli dotąd trudno było nam wzbudzić zaufanie, wciąż nie jest za późno, by naprawić sytuację. Nie poprzez mówienie ludziom tego, co chcą usłyszeć, ale raczej dzięki bezpośredniości. Szczere słowa „przepraszam, nie mogę", są lepsze niż niedotrzymanie obietnicy.

- Jeśli masz dość swobodne podejście do czasu, pamiętaj, że spóźnialstwo jest brakiem szacunku.

PRACA
+
BIZNES

„Interes można uznać za udany, kiedy obie strony są zadowolone".

Przysłowie szwedzkie

Świat biznesu jest okrutny. Walczymy ze sobą ostro, żeby utrzymać się na powierzchni. Kolekcjonujemy osiągnięcia, by iść naprzód. Gonimy za marzeniami o karierze z pasją i determinacją. Często definiujemy sukces jako zwycięstwo. Poczynając od zdobywania klientów i realizowania lukratywnych projektów, po promowanie siebie jako idealnego wsparcia w cudzych problemach.

Czasami zwyciężamy kosztem innych w imię „dobrych" interesów. Osiągamy maksymalne możliwe zyski jak najmniejszym kosztem. Biznes kwitnie na skrzyżowaniu konkurencji, indywidualizmu i naszej skuteczności w sprzedawaniu samych siebie i naszej pracy. Mogłoby się więc wydawać, że lagom zostaje wyrzucony z tej przestrzeni, nim jeszcze zdąży unieść głowę.

A jednak znajduje drogę, dzierżąc flagę sprawiedliwości i logiki.

Przyglądając się bliżej szwedzkiemu powiedzeniu, które głosi, że udany interes to taki, na którym korzystają obie strony, zaczynamy dostrzegać, jak lagom objawia się w środowisku pracy i prowadzonych przez nas firmach.

Ukazuje się w sposobie, w jaki wchodzimy w interakcje z kolegami, i w odmiennym podejściu do pracy nad wspólnymi projektami. Gdy zarabiamy na nasze utrzymanie, lagom chce, byśmy wykazywali się etyką opartą na sprawiedliwości, lojalności i zaufaniu. Zarówno w życiu towarzyskim, jak i zawodowym, pożąda dokładnie tych samych cnót.

W miejscu pracy lagom świadomie przestawia nas na tryb grupowy zawsze, gdy – oprócz dążenia do sukcesu – w grę wchodzi większe, wspólne dobro. Oznacza to działanie oparte na racjonalności, lojalności i zaufaniu.

Lagom woli logikę od emocji. Praktyczność od wizji. Działanie od obietnic. Chce, by nasze czyny i wypowiadane słowa były wiążące, zanim jeszcze podpiszemy jakiekolwiek umowy.

> ,, Szwedzkie podejście do pracy i biznesu oparte jest na lojalności i zaufaniu. Szwedzi zawsze identyfikowali się ze swoją pracą – choć dzisiejsi millenialsi czynią to w nieco mniejszym stopniu niż starsi pracownicy – a poziom lojalności wobec pracodawców pozostaje wysoki.
>
> **Tünde Schütt, head hunterka i trenerka rozwoju zawodowego w szwedzkiej firmie Develop Me** ,,

PLANOWANIE I PRZYGOTOWANIE

Szwedzi zostali nauczeni, by być zawsze przygotowanym. Setki lat życia pośród nieprzewidywalnych okoliczności, zwłaszcza trudnych warunków pogodowych, zbudowały sposób myślenia, w którym kluczowe jest bycie gotowym na wszelkie wyzwania, jakie może rzucić nam świat.

Gotowość zaś wymaga planowania. Nic dziwnego, że ta mentalność wniknęła w codzienne życie zawodowe, w którym nieprzygotowanie może zniszczyć projekt, a nawet całą firmę.

Wielu obcokrajowców pracujących lub robiących interesy w Szwecji narzeka na czas, jaki Szwedzi nieustannie poświęcają na planowanie i przygotowania. Terminarze sprawdza się po trzy razy i zwołuje się liczne spotkania, by ponownie wszystko omówić. Nim przejdzie się do etapu wprowadzania w życie poszczególnych koncepcji, szykuje się to miesiącami.

W kulturze chwalącej się efektywnością praktyka planowania może wydawać się sprzeczna z intuicją i sprawiać wrażenie straty czasu i zasobów.

Ponieważ jednak lagom dąży do równowagi, usuwając niepotrzebne elementy, odpowiednie przygotowanie jest niezbędne. „Odpowiedniość" zaś obejmuje wszelkie środki konieczne do utrzymania porządku, niezależnie od tego, ile to będzie trwało.

Bycie efektywnym oznacza radzenie sobie i funkcjonowanie w najbardziej optymalny możliwy sposób, przy jak najmniejszej stracie czasu, energii i zasobów. Ta definicja odzwierciedla sedno lagom.

Lagom sugeruje więc, by spędzić na przygotowaniach i planowaniu tyle czasu, ile potrzeba, ponieważ tylko w ten sposób możemy zagwarantować odpowiedni efekt.

WAGA KONSENSUSU

Lagom w pracy przestawia się na tryb grupowy. Przenosi odpowiedzialność i wiarygodność z jednostki na drużynę. Nie ma sposobu, by ominąć tę mentalność, kiedy pracuje się ze Szwedami.

Jeśli pochodzisz z kultury, w której rządzi zawsze jeden człowiek, podejście do biznesu oparte na lagom może budzić w tobie sprzeczne uczucia. Wspiera ono bowiem równość i sprawiedliwość na każdym poziomie, a decyzje często podejmuje się na mocy grupowego konsensusu.

Wszyscy muszą zgodzić się na wszystko, co zapisano w terminarzu, bo jeśli nie, zorganizowane zostanie kolejne spotkanie, by zrozumieć, dlaczego nie udało się osiągnąć porozumienia.

Typowy poniedziałek może zacząć się od ogólnego spotkania organizacyjnego, a w ciągu dnia będzie miało miejsce kilka kolejnych zebrań, na których omówione zostaną poszczególne punkty planu, przedyskutowanego już rano.

Przybyszom z zewnątrz niektóre kwestie, o których się debatuje i dyskutuje, mogą wydawać się nudnawe. Gdy nie udaje się osiągnąć konsensusu, zazwyczaj wychodzi się na fika, po czym wraca do stołu, by rozmawiać dalej.

Jeśli lubisz podejmować szybkie, konkretne decyzje, może to być dla ciebie frustrujące. Ale możesz też przyjąć takie rozwiązanie z radością, bo koniec końców twoje myśli i opinie zostaną uwzględnione.

Jeśli przyjrzymy się bliżej, bez trudu zobaczymy, że – poza znudzeniem, które może wywołać kilka kolejnych spotkań z rzędu – chodzi tu o kilka ważnych rzeczy.

Przede wszystkim lagom panuje tam, gdzie królują sprawiedliwość i równość. Zachęca do partycypacji, tak by usłyszano wszystkie głosy i opinie.

Po drugie, lagom szuka zawsze równowagi, dąży więc do współpracy i znajduje najlepsze rozwiązania poprzez konsensus. Natura lagom każe podawać w wątpliwość wszystkie działania, by w ten sposób znaleźć najlepsze odpowiedzi. Chce, byśmy byli otwarci na ciągłe poszukiwanie doskonałości, posługując się logiką i obiektywizmem, a jednocześnie nie dając się ponosić emocjom.

Ponadto potrzeba sprawiedliwości i równości tworzy płaską strukturę biznesową, odmienną od hierarchicznych piramid, które spotykamy najczęściej. Dzięki temu stylowi zarządzania dostęp do wyższego kierownictwa jest swobodniejszy, bardziej transparentny. Pomysły można przekazywać menedżerom w zrelaksowanej atmosferze, niczym przy ognisku, gdzie każdy może się wypowiedzieć.

Pracownicy bardzo często zwracają się do prezesów firm po imieniu. Lagom zakłada przecież, że zasadniczo wszyscy jesteśmy równi i tak powinniśmy być traktowani, niezależnie od pozycji społecznej czy pochodzenia.

Jeśli chodzi o równowagę płci w środowisku pracy, Szwecja zajęła w 2016 roku czwarte miejsce w sporządzonym przez Światowe Forum Ekonomiczne rankingu równości (Global Gender Gap Index). Udało jej się to, gdyż zlikwidowała 81% nierówności i nieustannie wspiera reprezentację i różnorodność.

Podejmowanie decyzji to bardzo inkluzywny proces, oparty na wspólnej pracy we wspólnym celu. Kompromis osiąga się poprzez eliminowanie emocji i zachętę do logicznego myślenia. Promowana jest praca zespołowa, która wzmacnia lojalność.

,, Swobodna kultura korporacyjna Szwecji oznacza,
że menedżerowie nie są półbogami. Nie wydają rozkazów.
Za pomocą dyplomacji muszą przekonać swoich pracowników
do kierunku, który zamierzają przyjąć, czy celu, który chcą osiągnąć.

Tünde Schütt, head hunterka i trenerka rozwoju zawodowego w szwedzkiej firmie Develop Me ,,

SZTUKA NEGOCJACJI I ZWIĘZŁOŚCI

Szwedzi bywają świetnymi negocjatorami. Nie są bezwzględni, ponieważ, koniec końców, obie strony powinny być zadowolone i rozstać się w zgodzie. To upodobanie do dyplomacji wynika z lagom i potrzeby ciągłego zadawania pytań.

Sentymentalizm zostaje za drzwiami sali konferencyjnej i zaczyna rządzić pragmatyzm. Sprawy omawia się szczegółowo, propozycje oceniane są pod kątem rentowności: podczas kolejnych etapów negocjacji porusza się niebo i ziemię.

Choć może się to wydawać bardzo męczące, naturalna potrzeba lagom gwarantuje, że jakiekolwiek decyzje biznesowe podejmiemy, będą one najlepsze dla grupowej harmonii i równowagi.

Oznacza to również komunikacyjną zwięzłość. Jak już wiemy, bierze się ona z bezpośredniości języka, a także z uznawania nadmiaru słów za coś niepotrzebnego i nieskutecznego. Szwedzi zazwyczaj przechodzą od razu do rzeczy. Rozmowy są konkretne. Ten zwięzły styl widać także w e-mailach. Interesy opiera się na faktach, nie na intuicji, a negocjacje prowadzi się w bardzo metodyczny sposób.

Szybkie dotarcie do sedna sprawy, którą się zajmujemy, pomaga usunąć wszystko, co odwraca uwagę od rozwiązywania problemów, a to z kolei pozwala osiągnąć harmonię.

Chociaż odpowiedzialność za całość projektu spada na grupę, lagom przypomina nam o osobistej odpowiedzialności za to, do czego się zobowiązujemy, tak by nie utracić wiarygodności i zaufania.

Jeśli poniesiesz porażkę, grupa może się dla ciebie poświęcić, ale nie będzie ci już ufać. Zobaczysz to w typowo szwedzkich, przedłużających się, oceniających spojrzeniach.

KONFLIKT I RYWALIZACJA

„Ten, kto chce dowieść zbyt wiele, niczego nie dowodzi".

Przysłowie szwedzkie

Lagom obumiera, gdy spotykają się konflikt i stres, gdy wyczuwa konfrontację i gdy zaburzona zostaje równowaga. Jest to wyraźnie widoczne w naszej pracy i środowisku służbowym.

Osiągnięcie konsensusu zmniejsza niemal do zera ryzyko późniejszego konfliktu, czyż nie?

Skoro wszyscy zgodzili się już na ten sposób postępowania, nikt nie może się na nas zezłościć, prawda?

Dlatego też Szwedzi są mistrzami mówienia „nie", chociaż i to stopniowo się zmienia ze względu na presję społeczeństwa, które oczekuje od nas, że będziemy nadludźmi. „Nie" bywa postrzegane jako niekompetencja.

Brak zgody na dodatkową pracę jest ważny, ponieważ przyjęcie jej może utrudnić nam wypełnienie obietnic, a to prowadzi do konfliktów i kłótni. Dba się o wiarygodność poprzez realistyczne oczekiwania i dotrzymywanie słowa. Należy brać na siebie tylko te zadania, które możemy zrobić dobrze, tak by nie zawieść pokładanego w nas zaufania.

Nierzadko zdecydowanie odmawia się szefowi wykonania dodatkowej pracy, bez poczucia winy czy podejrzenia, że wpłynie to negatywnie na naszą relację z przełożonym. Lagom jest bezpośredni, a ludzie, którzy żyją zgodnie z jego zasadami, doskonale to rozumieją.

Tworzenie przyjaznego środowiska poprzez usuwanie czynników stresogennych jest ważne, poczynając od luźniejszego podejścia do biznesowego dress code'u, a kończąc na przerwie fika, pozwalającej nabrać sił, nim znów ruszymy przed siebie.

Wychowani do instynktownego żeglowania po wodach grupowej dynamiki Szwedzi wiedzą, jak trzeba zastosować lagom w danej sytuacji.

Jeśli chodzi o konkurencję, kuzyn jante przepycha się do przodu i próbuje pokazać każdemu jego miejsce. Podkreśla, że nie powinniśmy czuć się ani zachowywać, jakbyśmy byli lepsi od innych, że samochwalstwo jest przejawem problemów z poczuciem własnej wartości i braku pewności siebie, które nie pozwalają przemawiać naszym czynom.

Choć może to stać w sprzeczności ze specyfiką świata korporacji, w którym trzeba konkurować, by utrzymać się na rynku, lagom stara się skupić na jakości i chce, by to ona sprzedawała się sama. To nie zawsze działa, zwłaszcza kiedy aktywna promocja samego siebie i swoich umiejętności jest konieczną inwestycją w biznesowy sukces.

Kiedy trzeba sprzedać swoją pracę, zanim się ją wykona.

Jeśli jednak wypchniemy za drzwi kuzyna jante i skupimy się na lagom, zrozumiemy, czemu konkurowanie ze sobą jest nie tylko niemile widziane, ale wręcz postrzegane jako bezsensowna strata energii. Porównałabym to do próby dotrzymania tempa doświadczonemu maratończykowi podczas naszego pierwszego biegu.

Lagom nie daje się sprowadzić do jednego poziomu.

Mój osobisty lagom nie jest twoim lagom. Zamiast konkurować, powinniśmy znaleźć własną równowagę, uruchomić swoje kompetencje i poznać kluczowe zdolności. Ciągłe skupianie się na osobistych korzyściach sprawia, że tracimy z oczu wspólny cel.

Optymalne rozwiązanie pojawia się, kiedy wszyscy odważnie wchodzą w swoje role, wierząc we własne umiejętności i wewnętrzne wyznaczniki lagom, a nie rywalizując między sobą.

Owszem, konkurencja potrafi być zdrowa i czasem daje nam dodatkową motywację. Musi to być jednak zawsze skierowane ku osobistej harmonii i równowadze. Rywalizacja nie powinna spychać nas z obranej drogi.

DAWANIE I PRZYJMOWANIE INFORMACJI ZWROTNEJ

„Brak listów to dobre listy".
Przysłowie szwedzkie

Często słyszymy powiedzenie „brak wiadomości to dobra wiadomość". Jeśli nie dostajemy żadnej odpowiedzi czy potwierdzenia, to całkiem prawdopodobne, że wszystko jest w porządku i nie mamy się czym martwić. Nie jest jednak łatwo się do tego przyzwyczaić.

Staramy się i – co naturalne – martwimy, kiedy nie otrzymujemy potwierdzenia, że to, co robimy, jest w porządku. W jaki sposób mamy dowiedzieć się, czy robimy to, czego potrzebuje grupa? Czy nie jest miło, kiedy od czasu do czasu ktoś poklepie nas po plecach, podnosząc morale i na nowo rozpalając płomień lojalności?

W typowym szwedzkim środowisku pracy, opartym na zasadach lagom, wydobycie informacji zwrotnej na nasz temat może być trudne, choć Szwedzi są bardzo bezpośredni.

Nie szasta się komplementami, ponieważ mentalność oparta na lagom skupia się przede wszystkim na działaniu. Czerpie informacje z naszych czynów i zestawia je ze słowami, by sprawdzić, czy nie ma jakiejś niekonsekwencji. Ponadto ograniczanie pochwał jest kolejnym sposobem unikania konfrontacji, które mogłyby nieść za sobą stres i poczucie niezręczności.

Wady i zalety tego umiarkowanego podejścia do przekazywania informacji zwrotnych są oczywiste.

Lagom opiera się na zaufaniu, więc skoro nikt nie próbuje tobą nieustannie zarządzać, najwyraźniej grupa w pełni ufa twoim zdolnościom i kompetencjom.

„Najgłośniej stukoczą puste beczki".
Przysłowie szwedzkie

Dąży też do równowagi między świętowaniem sukcesów a dalszym działaniem opartym na etosie pracy. Gdybyśmy nieustannie chwalili się osiągnięciami, relacje z innymi członkami grupy mogłyby stać się męczące. Jak w bajce Ezopa o chłopcu, który wołał „wilk", współpracownicy mogliby nie zwrócić na nas uwagi w chwili, kiedy potrzebowalibyśmy tego najbardziej.

Oczywistą wadą natomiast jest poczucie niedocenienia, gdy zostajemy bez informacji od naszych kolegów i przełożonych. Jako istoty łaknące uznania od czasu do czasu potrzebujemy pochwały, by mieć potwierdzenie, że nie tylko „coś robimy", ale że robimy to dobrze.

WYTYCZANIE OSOBISTYCH GRANIC

Długie, intensywne spojrzenie. Wsłuchiwanie się w każde słowo z lekko pochyloną na bok głową. Analizowanie każdej wypowiedzi i pełna zainteresowania reakcja...

Nie, twój szwedzki kolega lub szef nie zakochał się w tobie bez pamięci.

Przeciwnie, lagom zrodził naród doskonałych słuchaczy, którzy nie przerywają, lecz dają ci czas, byś skończył myśl. Przeszkadzanie drugiej osobie jest niedopuszczalne, gdyż lagom dąży do harmonijnej, wolnej od zakłóceń wymiany myśli.

Poza wyrażaniem szacunku przedłużony kontakt wzrokowy służy także do milczącej oceny i do podjęcia decyzji: jak bardzo mogę się otworzyć? Jak wiele powiedzieć? Nie oznacza to, że Szwed się zakochał. Tylko niewtajemniczeni mogą zinterpretować takie skupienie uwagi jako szczególne zainteresowanie daną osobą.

Tak naprawdę chodzi o to, by poczekać na swoją kolej, nie przerywając i nie przekrzykując się. W gruncie rzeczy jest to kwestia szacunku.

Nie daj się zwieść swobodnym spotkaniom biznesowym, które sprawiają wrażenie nieformalnych. Szwedzi bardzo wyraźnie oddzielają życie zawodowe od prywatnego. Niechętnie dzielą się informacjami na swój temat, nawet gdy ktoś próbuje je z nich wyciągnąć.

Koledzy chodzą razem na piwo, są członkami tych samych klubów i biorą udział w różnych towarzyskich zajęciach. Niekiedy spotykają się tak często, że kolejnym logicznym krokiem wydaje się zaproszenie na obiad. Funkcjonowanie w tych społecznych ramach nie oznacza jednak, że już niedługo przekroczymy granicę i wkroczymy do czyjegoś prywatnego domu i prywatnego życia.

RÓWNOWAGA MIĘDZY ŻYCIEM A PRACĄ

Szwecja należy do krajów o najbardziej dogodnych godzinach pracy na świecie. Pięć tygodni ustawowego urlopu, 480 dni płatnego urlopu rodzicielskiego, ponad tuzin świąt i płatny urlop, by móc opiekować się chorymi bliskimi: nic dziwnego, że Szwedzi zazwyczaj znikają z biura, ledwie wybija piąta albo nawet wcześniej.

Niektóre firmy eksperymentują z sześciogodzinnym dniem pracy, by sprawdzić, czy poprawia to efektywność, jednocześnie zapewniając zdrową równowagę między pracą a życiem, którą Szwedzi chronią ze wszystkich sił. Koniec końców, lagom dąży do efektywnego działania poprzez zapewnienie nam wygody. Chce, byśmy zadali sobie pytanie, dlaczego pracujemy po godzinach, i sprawdzili, czy możemy lepiej zorganizować sobie czas, by funkcjonować w harmonii.

W zakresie bilansowania prywatnych potrzeb i karier lagom przybiera formułę umiaru i zrównoważonego rozwoju. Chce, byśmy podejmowali decyzje, które nie wpłyną negatywnie na nasze samopoczucie.

Dzięki temu w tej kulturze panuje elastyczność, która pozwala, na przykład, wyjść z pracy wcześniej, by odebrać dzieci z przedszkola, wyskoczyć z biura na spotkanie albo pracować w ograniczonym wymiarze – 50 czy 75% – po powrocie z urlopu rodzicielskiego.

W odróżnieniu od reprezentantów innych kultur, w których kładzie się nacisk na ciężką pracę pozwalającą gromadzić sukcesy i bogactwa, Szwedzi patrzą z innej perspektywy.

Pracują, żeby żyć, a nie żyją, żeby pracować.

Oznacza to, że pracują, by zarobić wystarczająco dużo, aby żyć na swoim poziomie lagom. Przyjęcie lagom jako podstawowej zasady oznacza, że nie czujemy potrzeby gromadzenia dóbr w imię widocznego sukcesu. To dlatego nawet najbogatsi Szwedzi mają często oszczędnie urządzone domy, pełne jednak przedmiotów wysokiej jakości.

Wielokrotnie przypominam turystom, by robili zakupy przed godziną osiemnastą, bo wiele punktów już wtedy się zamyka. Czasami w weekendy kończą one pracę nawet wcześniej, co wydaje się o tyle dziwne, że to wtedy ludzie mają czas chodzić po sklepach. Etos pracy wspierany przez liczne związki zawodowe zapewnia jednak pracownikom handlu ochronę, tak by i oni mogli utrzymać w swoim życiu odpowiedni poziom lagom. To z kolei poprawia ogólną jakość funkcjonowania społeczeństwa.

SPOŁECZNA ODPOWIEDZIALNOŚĆ BIZNESU

Dbałość o siebie nawzajem i o środowisko rozciąga się na miejsce pracy i na sposób, w jaki robimy z sobą interesy. Cnota społecznej odpowiedzialności manifestuje się także w tym, jak Szwedzi prowadzą swoje firmy.

Ponieważ lagom działa przede wszystkim w oparciu o sprawiedliwość, równość i zrównoważony rozwój, szwedzkie przedsiębiorstwa są światowymi liderami w zakresie społecznej odpowiedzialności biznesu (CSR – Corporate Social Responsibility). Sprawy globalne, takie jak wpływ na zmianę klimatu, równość płci, ochrona środowiska, prawa człowieka czy walka z korupcją to tylko kilka kwestii, o których pamięta biznes oparty na lagom. Według Swedish Standards Institute kraj ma jeden z najwyższych na świecie odsetek firm posiadających certyfikaty ekologiczne.

Społeczna odpowiedzialność biznesu jest nierzadko ściśle wpleciona w strategię firmy i jej codzienne działania. Lagom nalega, by dążenie do zysku nie miało negatywnego wpływu na prawa innych ludzi, na społeczeństwo i środowisko.

Chociaż to powściągliwe podejście do konkurencji, rozwiązywania konfliktów i struktury pracy może sugerować, że biznes oparty na lagom nie daje tylu lukratywnych możliwości co bardziej kapitalistyczne modele, warto ponownie to rozważyć.

W 2016 roku „Forbes" ocenił 139 krajów pod względem ich możliwości biznesowych w oparciu o jedenaście czynników, które obejmowały m.in. innowacje, podatki, technologię i biurokrację – Szwecja znalazła się na pierwszym miejscu. Dla porównania, znane ze swojej ekonomicznej siły i kultury biznesowej Stany Zjednoczone zajęły miejsce dwudzieste trzecie, Wielka Brytania zaś – piąte. Jak widać, etos, o którym mówimy, ma wiele zalet.

PROTOKÓŁ POSIEDZENIA

- Być może najważniejsza jest większa rozwaga podczas podejmowania decyzji i zrobienie kroku w tył, by spojrzeć na sytuację pod innym kątem, nim podejmiemy kolejne zobowiązania.

- Jeśli zajmujemy stanowisko kierownicze, tworzenie wokół nas i naszych pracowników swobodnej atmosfery – w odróżnieniu od napięcia, które karmiłoby tylko nasze ego – może pomóc zdobyć pożądaną lojalność.

- Twoja wiarygodność zależy od tego, czy czyny podążają za słowami. Naucz się więc mówić „nie", bądź szczery, opowiadając o swoich umiejętnościach, ustaw oczekiwania na właściwym poziomie, deleguj zadania i wykonuj mniej pracy, ale za to rób to bardzo dobrze.

- Jeśli opowiadasz natychmiast o każdym najmniejszym osiągnięciu, ważniejsze wiadomości nie zrobią już wrażenia na twoich przyjaciołach czy kolegach.

- Czy naprawdę musisz pracować po godzinach? Jeśli nie, zadaj sobie pytanie, czemu to robisz.

- Jest czas i miejsce na konsensus, warto też zasięgnąć dodatkowej opinii o tym, nad czym pracujemy i czym się pasjonujemy, bo dzięki temu możemy zyskać nową perspektywę.

- Jeśli uważasz się za znakomitego negocjatora, zastanów się, co znaczą dla ciebie negocjacje. Czy starasz się zawsze wygrać, tak by inni dostali mniej? Czy może negocjujesz z empatią wobec obu stron?

- Bądź gotów zadawać pytania i nie sądź po pozorach.

PIENIĄDZE
+
FINANSE

„Lepszy wróbel w garści niż gołąb na dachu".

Przysłowie

Jeśli pieniądze są przyczyną wszelkiego zła, nic dziwnego, że lagom – oparty na równości i sprawiedliwości – ma bardzo skomplikowany i dość neurotyczny stosunek do finansów.

W świecie, w którym przepaść między bogatymi a biednymi nie przestaje się powiększać, pragnienie finansowego bezpieczeństwa jest czymś normalnym. Ponieważ zaspokojenie podstawowych potrzeb kosztuje, często boimy się, że zabraknie nam pieniędzy.

Martwimy się brakiem schronienia, żywności, wody i opieki zdrowotnej, a także niezbędnymi wydatkami – od rachunków za zakupy żywnościowe, przez wydatki na prąd czy gaz, po opłaty związane z utrzymaniem dobrego stanu zdrowia.

Wielu z nas żyje w lęku od wypłaty do wypłaty, ponieważ zobowiązania i pożyczki rosną tak szybko, że nie potrafimy się z nich wywiązać.

A ci, którzy bez trudu zaspokajają swoje podstawowe potrzeby, pragną więcej, by zapewnić sobie bezpieczeństwo i spokój ducha, jaki przynosi finansowa nadwyżka. Potrzebujemy pieniędzy, by móc bez ograniczeń podążać za pragnieniami, marzeniami i zachciankami. Szukamy nie tylko niezależności finansowej, ale i ekonomicznej stabilizacji.

Lagom przyjmuje logiczny i zdroworozsądkowy sposób zarządzania finansami.

Chce, byśmy utrzymywali nasz budżet w równowadze, wydając tyle, ile zarabiamy. W ten sposób unikniemy długów. Popiera skrupulatne podejście, które każe wciąż pytać, czemu daną rzecz kupujemy. Próbuje podzielić rzeczy, na które wydajemy nasze ciężko zarobione pieniądze, na dwie kategorie: te o wartości użytkowej i te o wartości sentymentalnej.

Wszystko, co nie mieści się na tych dwóch listach, można uznać za niepotrzebne czy zbędne.

Jak już dobrze wiemy, lagom ze wszystkich sił walczy ze zbytkiem.

W sferze finansów manifestuje się to na kilka sposobów. Jeden z nich to zmniejszenie stresu dzięki odpowiedniemu opodatkowaniu, stanowiącemu zabezpieczenie na trudne czasy. Inny to uproszczenie wydatków i finansowy minimalizm osiągany poprzez oszczędność.

Trzeci sposób to zdroworozsądkowe planowanie wydatków.

PODATKI ZMNIEJSZAJĄ STRES

Nie będzie oryginalnym stwierdzenie, że pieniądze są w naszym życiu jednym z głównych źródeł stresu. Nie ma też nic zaskakującego w konstatacji, że poborca podatkowy to jeden z najbardziej nielubianych i cieszących się najniższym zaufaniem zawodów, niezależnie od epoki i cywilizacji – było tak już w czasach biblijnych. Nikt nie chce się przecież rozstawać z gotówką, którą z wysiłkiem gromadził przez lata.

A jednak relacja między Szwedami a szwedzkim urzędem podatkowym pozostaje bezkonfliktowa.

Podczas gdy obywatele wielu innych krajów nienawidzą płacenia podatków i zrobiliby wszystko, by oddawać państwu jak najmniej, korzystając z maksymalnych ulg, Szwedzi zrozumieli, że płacenie sprawiedliwego podatku może być czymś korzystnym. Niezależnie od tego, czy im się to podoba.

> ,, Szwedzkie słowo oznaczające podatek – *skatt* – ma też inne znaczenie: skarb. Podejrzewam, że w niewielu językach na świecie zyskuje tak pozytywne konotacje.
>
> **David Wiles, redaktor w Spoon Publishing w Malmö** ,,

Podatki mogą być postrzegane jako sposób odkładania pieniędzy na czarną godzinę, ponieważ system jest godzien zaufania i działa, gdy się go potrzebuje. Zapewnia płatny urlop, kiedy rodzą nam się dzieci lub gdy je adoptujemy, zasiłek, gdy tracimy pracę, finansuje edukację i służbę zdrowia, w razie konieczności pokrywa czynsz i gwarantuje bezpieczeństwo socjalne na emeryturze – by wymienić tylko kilka korzyści.

Wszystkie te sytuacje potrafią zrujnować człowieka finansowo i szybko pogrążyć go w biedzie, jednak szwedzkie państwo dąży do równości i skłania wszystkich do płacenia odpowiedniej kwoty, tak byśmy mogli żyć na odpowiednim poziomie. To zabezpieczenie znacznie zmniejsza finansowy niepokój, a lagom chętnie wspiera każdy system czy strukturę, która ogranicza stres i niepewność.

Według lagom w idealnym świecie nie martwilibyśmy się zbytnio o pieniądze, w poczuciu ekonomicznego spokoju i stabilizacji. Lagom chce, byśmy pracowali wystarczająco dużo, by zaspokajać codzienne potrzeby, wiedząc jednocześnie, że poprzez podatki wspieramy kolektywną sieć finansowego spokoju.

Szwecja jest znana jako kraj wysokich podatków. W innych krajach sądzi się często, że dotyczy to naszych podatków dochodowych, co nie jest prawdą. Średni podatek dochodowy od osób fizycznych wynosi od 30 do 33%, a od osób prawnych – około 22%.

Prawdziwe obciążenia podatkowe pochodzą z taryf pośrednich – takich jak VAT, który może zwiększyć cenę kupowanego towaru lub usługi nawet o 25%. To dlatego pieniądze wydaje się przede wszystkim na rzeczy konieczne i praktyczne lub przedmioty, które głęboko poruszają nasze serca.

Mimo wszystko na zło konieczne, jakim jest płacenie podatków, można spojrzeć z praktycznego punktu widzenia. Skoro system zapewnia nam uniwersalną ochronę, lagom mówi, by go po prostu zaakceptować.

OSZCZĘDNOŚĆ I PLANOWANIE WYDATKÓW

„Szwedzi bardzo dużo oszczędzają. Przyzwyczailiśmy się do tego dzięki wspieranym przez rząd kasom oszczędności wprowadzonym w latach osiemdziesiątych XX wieku. Comiesięczne oszczędzanie, czy to na życie swoje i dzieci, czy na emeryturę, jest teraz czymś naturalnym.

Ingela Gabrielsson, ekonomistka i rzeczniczka klientów indywidualnych w szwedzkim oddziale Nordea Bank"

Spędziwszy trochę czasu w Szwecji lub wśród Szwedów, wielu obcokrajowców dostrzega ich oszczędność, a czasem nawet obsesję na punkcie cen.

Oszczędność staje często w sprzeczności z podejściem, które wymaga, by nabywać rzeczy najlepszej możliwej jakości, które przetrwają długi czas. Trzeba się zatem dobrze zastanowić, na co wydajemy pieniądze, i upewnić się, że to, co kupujemy, wzbogaci nasze życie w wartości pomagające utrzymać równowagę.

Szwedzi lubią dobrze wykonane przedmioty – wystarczy spojrzeć, czym się otaczają. Chcą też inwestować tylko raz. Preferowane są więc rzeczy trwałe, zrobione z materiałów wysokiej jakości, przeznaczone do długiego użytkowania.

Pośrednio wpływa to na fakt, że towary w Szwecji są tak drogie. Pomijając wszystkie podatki, często płacimy za lepsze materiały i organiczne składniki, z których powstają kupowane przez nas dobra.

Kolejnym elementem szwedzkiej zapobiegliwości jest typowe dla lagom podejście „nie marnuj, a nie będziesz w potrzebie". Widać to nawet w klasycznym, powojennym komiksie *Spara och slösa* („Oszczędna i rozrzutna"), który uczył dzieci oszczędzania i pokazywał niebezpieczeństwo rozrzutności.

Upraszczając nasze codzienne dania, nie tylko zmniejszamy ilość śmieci wokół, ale też nie marnujemy pieniędzy. Znajdując sposoby na upcykling, zmieniamy funkcję posiadanych rzeczy, zamiast kupować nowe przedmioty.

Wydajemy pieniądze w maksymalnie sensowny sposób i, kiedy to tylko możliwe, szukamy bezpłatnych i korzystnych ofert. Mogą to być darmowe koncerty czy zajęcia dla rodzin, które odbywają się w parkach, bibliotekach i muzeach, albo niezwykłe zdobycze znalezione w second-handach, na targach, na książkowych wyprzedażach i przy podobnych, pozwalających oszczędzić okazjach.

„Kromka chleba w kieszeni jest lepsza niż pióro na kapeluszu".

Przysłowie szwedzkie

Skłonność lagom do zadawania pytań przypomina o sobie, gdy planujemy budżet, który ma pozwolić utrzymać w ryzach nasze finanse. Każdego dnia, każdego tygodnia, każdego miesiąca musimy wiedzieć, na co przeznaczamy każdy grosz.

Lagom mówi, by używać tylko tego, czego potrzebujemy, i usilnie stara się ograniczyć impulsywne zakupy, będące przejawem ekstrawagancji. Pomaga kontrolować wydatki i znajdować kompromis, gwarantując zadowolenie z sytuacji finansowej.

Nawet jeśli, w porównaniu z bogactwem innych, mamy bardzo mało, lagom chce, żebyśmy skupili się na swoim wnętrzu, nim zaczniemy się porównywać.

Jak mówi szwedzkie przysłowie, lepiej mieć w kieszeni kromkę chleba niż pióro na kapeluszu.

Oznacza to, że lepiej zaspokajać swoje skromne potrzeby, nie przekraczając budżetu, niż popisywać się stylem życia, na który nas nie stać.

> „Ogólnie rzecz biorąc, gdy mowa o inwestycjach, większość Szwedów zatrzymuje się pośrodku między ryzykiem i brakiem ryzyka. Połowa Szwedów planuje swoje oszczędności, a druga połowa „po prostu oszczędza".
>
> **Ingela Gabrielsson, ekonomistka i rzeczniczka klientów indywidualnych w szwedzkim oddziale Nordea Bank**"

Po co nakładać na siebie niepotrzebną presję, żyjąc ponad stan, będąc jednocześnie nieszczęśliwym, niespokojnym i niepewnym?

SPŁACAJ SWOJE DŁUGI

Jak pisałam już wcześniej, życie według zasady lagom oznacza, że stale musimy pamiętać o założonej sobie równowadze. Cokolwiek ją zaburza, ciągnąc w jedną czy drugą stronę, odbierane jest jako ciężar. A lagom stara się pozbyć niepotrzebnych utrudnień.

Choć lagom skupia się na budowaniu wokół nas harmonijnych wspólnot, w których opiekujemy się sobą nawzajem, promuje również samowystarczalność. Osobista autonomia nie pozwala zadłużać się u innych. Dług obciąża obie strony i powoduje stres, który psuje równowagę.

Gdy jesteśmy zadłużeni, lagom umiera ze wstydu. Często cytuje się słowa byłego szwedzkiego premiera, Görana Perssona: „Kto ma długi, nie jest wolny". Nie oznacza to oczywiście, by Szwedzi nie brali kredytów. Owszem, zdarza im się to, zwłaszcza przy inwestycjach mieszkaniowych. Dług nie jest jednak oczywistą częścią kultury, w której dąży się do finansowej niezależności.

Choć Szwecja jest państwem opiekuńczym, którego obywatele zależą ekonomicznie od władz, podejście lagom, polegające na równym podziale finansów, sprawia, że – co zaskakujące – ma jeden z najmniejszych długów publicznych w Unii Europejskiej. W 2016 roku Forbes umieścił ją na czwartym miejscu na świecie pod względem wolności monetarnej, a szwedzki rząd bilansuje swój budżet od ponad dekady.

Lagom woli, byśmy brali pieniądze bezpośrednio ze wspólnej kasy, do której wszyscy wpłacamy podatki, niż pożyczali od innych ludzi, jednocześnie ich obciążając.

BOGACTWO I SŁAWA

Gdy zapytać przypadkowego Szweda o nazwisko jakiegoś szwedzkiego miliardera, prawdopodobnie przyjdzie mu do głowy Ingvar Kamprad, twórca znanej na całym świecie marki meblowej IKEA.

Wymienienie kolejnych osób może okazać się trudne. Jednak według „Forbesa" wśród Szwedów jest ponad dwudziestu pięciu miliarderów, a najbogatszym człowiekiem w kraju jest Stefan Persson, właściciel sporej części udziałów marki ubraniowej H&M (Hennes & Mauritz). Fakt, że ludzie ci wtapiają się w społeczeństwo, jednocześnie gromadząc ogromne zasoby finansowe, pokazuje umiar i dyskrecję, którą niesie lagom.

Nikt nie obnosi się z bogactwem w sposób, jaki znamy z Wielkiej Brytanii czy Stanów Zjednoczonych. Ale pozory mylą: Szwedzi bogacą się w rekordowym tempie. Start-upy oparte na innowacji i technologii tworzą nowe pokolenie przedsiębiorców-milionerów.

Cichy, niezwracający na siebie uwagi nieznajomy w metrze może być kierownikiem start-upa osiągającego co roku milionowe zyski.

Zdarza nam się oceniać jakość ubrań, samochodów czy dzielnic, w których mieszkamy, uznając to za wyznacznik bogactwa, jednak oszacowanie zamożności przypadkowego Szweda pozostaje trudnym zadaniem. Przede wszystkim zresztą za sprawą kuzyna jante, który wywołuje podświadomy wstyd, kiedy chwalimy się naszymi sukcesami.

Lagom stara się pogodzić bogactwo i finanse z wewnętrzną potrzebą konsumpcji i popisywania się, dodając umiar do naszych zwyczajów.

PIENIĄDZE MAJĄ ZNACZENIE

- W sferze finansów lagom nie chce zrobić z nas dusigroszy. Pragnie tylko, żebyśmy mieli świadomość, ile wydajemy, tak abyśmy mogli od czasu do czasu zaszaleć, zachowując równowagę.

- Nadszedł czas, by zacząć zbierać na czarną godzinę. Choć większość z nas nie ma szczęścia żyć w państwie opiekuńczym, które zapewniałoby bezpieczeństwo, może uda się zmniejszyć związany z finansami stres, samodzielnie odkładając parę groszy na koncie.

- Kupuj mniej, ale inwestuj w jakość. Lagom mówi, że lepiej zaoszczędzić i kupić jeden porządny, trwały przedmiot niż tuzin tanich.

- Jest wiele zmian, które możemy wprowadzić, by ograniczyć wydatki: od noszenia ze sobą do pracy lunchu zamiast kupowania go na mieście po planowanie zakupów spożywczych na cały tydzień.

- Jeśli jeszcze nigdy nie planowaliście budżetu, możecie zacząć zapisywać swoje wydatki choćby od dzisiaj. Nie trzeba do tego skomplikowanych arkuszy kalkulacyjnych: na początek wystarczy zrobić listę.

- Jeśli już pracujesz nad budżetem, może warto spojrzeć na niego raz jeszcze i sprawdzić, które wydatki dałoby się ograniczyć, jednocześnie nie rezygnując z rzeczy wartościowych.

- Nadszedł też czas, by poważnie zająć się obciążającymi nas długami. Porozmawiaj z doradcą, który pomoże ci zmniejszyć zobowiązania finansowe.

- Życie ponad stan jest bardzo męczące. Nie masz go dosyć?

NATURA

+

STABILNY ROZWÓJ

„Kto oszczędza, ten ma".

Przysłowie szwedzkie

Przestrzeń, w której lagom naprawdę błyszczy, to nasz związek z naturą i aktywność na świeżym powietrzu. Określa sposób, w jaki myślimy o środowisku, i chce, byśmy patrząc na procesy zachodzące w otaczającym nas świecie, pamiętali o zrównoważonym rozwoju.

Nawet kuzyn jante godzi się z porażką i wycofuje się, kiedy Matka Ziemia i jej zasoby naturalne znajdują się w centrum uwagi, ponieważ w pełni ujawnia się wtedy największa zaleta lagom – uważność.

Szwedzki styl życia jest nierozerwalnie złączony z naturą – to bardzo bliski związek, pełen szacunku pielęgnowanego od dzieciństwa. Radość przynosi nam spędzanie czasu na świeżym powietrzu, mierzenie się z żywiołami niezależnie od temperatury i, przede wszystkim, ochrona środowiska nacechowana determinacją, która może wydawać się sprzeczna z samokontrolą lagom.

Lagom chce jednak, by wszyscy mieli równy dostęp do tych samych zasobów. Jeśli bierzemy coś dla siebie, musimy to oddać, by inni również mogli się tym cieszyć. Każdy z nas powinien tak postępować, zarówno czerpiąc z ekosystemu, jak i zasilając go.

Dostęp do natury rozumiany jest też jako pożyczka, którą należy zwrócić, by osiągnąć równowagę.

Lagom decyduje o tym, ile zasobów konsumujemy, i uczy uważności, która z kolei rodzi ekologiczne, zbilansowane nastawienie. Musimy dbać o to, co pożyczamy, byśmy mogli zwrócić to w niemal idealnym stanie.

W koncepcji zrównoważonego rozwoju chodzi właśnie o tę ciągłą opiekę i starania.

Z MIŁOŚCI DO NATURY

,, Po wielu latach moich badań definiuję „nordyckie dobre samopoczucie" jako sprzężenie między codziennym życiem i naturą; zaawansowaną prostotę we wzornictwie, którym się otaczamy, i dostęp do przyrody.

Julie Lindahl, ekspertka międzykulturowa, autorka książki *On My Swedish Island: Discovering the Secrets of Scandinavian Well-being* ,,

Mimo spokoju, który rodzi się z umiaru lagom, Szwedzi są wyjątkowo zdecydowani i zaangażowani, jeśli chodzi o ochronę zasobów naturalnych.

Chcąc zrozumieć, jak ta pełna miłości opiekuńczość wniknęła w szwedzką psyche, musimy cofnąć się w czasie, by spojrzeć, w jaki sposób Szwedzi wchodzili w interakcję ze swoim środowiskiem.

Spędzanie czasu na świeżym powietrzu, bez względu na pogodę, było zawsze wspierane przez politykę rządu.

Na przełomie lutego i marca Szwedzi udają się na ferie zimowe, tradycyjnie nazwane sportlov, zachęcani do przebywania z rodziną i wspólnego uprawiania sportu.

W 1925 roku organizacja młodzieżowa postanowiła organizować wycieczki w góry dla zainteresowanych dzieci ze szkół podstawowych. Władze dopiero w latach czterdziestych przyłączyły się do tej akcji, przy okazji oszczędzając na ogrzewaniu. Wprowadzono obowiązkowe ferie, zwane pierwotnie kokslov (po szwedzku: „koks"), ograniczając tym samym zużycie racjonowanego węgla i koksu, którymi ogrzewano budynki po drugiej wojnie światowej. Uczniowie zaś zyskali szansę wzięcia udziału w zorganizowanych wyjazdach. W latach sześćdziesiątych ktoś wpadł na pomysł, by oszczędzać energię także w biurach, i czas wolny zyskał nową nazwę: sportlov.

Zjawisko to, w połączeniu z Allemansrätten („prawo wszystkich"), które gwarantuje wolny dostęp do przyrody, przyczyniło się do rozwijania w dzieciach miłości do natury.

Allemansrätten pozwala biwakować, jeździć przełajowo na nartach i wędrować wszędzie, gdzie nie ma znaków zakazu. Prawo to obejmuje również zbieranie dziko rosnących owoców i grzybów. Zachęca, by zobaczyć, co rośnie na naszym podwórku.

Jest to tym łatwiejsze, że ponad 80% mieszkańców Szwecji żyje w odległości niecałych pięciu kilometrów od parku czy rezerwatu, a według Friluftsfrämjandet (stowarzyszenia propagującego aktywność na świeżym powietrzu) 97% Szwedów popiera dostęp do natury jako podstawowe prawo.

Na dźwięk słowa *Skogsmulle* każdy Szwed przypomni sobie leśnego stworka, który uczył dzieci, jak poznawać przyrodę i czerpać z tego radość. Około 200 szwedzkich żłobków bierze udział w rekreacyjnym programie organizowanym przez Friluftsfrämjandet: „I ur och skur", co oznacza „czy słońce, czy deszcz".

Od wczesnego dzieciństwa Szwedzi uczą się spędzania czasu na świeżym powietrzu, nie postrzegają więc tego jako obowiązku, ale jako zaspokojenie podstawowej potrzeby.

Ciepło ubrane dzieci w przedszkolach i żłobkach zabierane są na dwór, by bawić się godzinami w śniegu. Nawet kilkudniowe noworodki wystawia się na kilka minut na zewnątrz, by odetchnęły świeżym powietrzem.

Choć ten fenomen kulturowy wydaje się dotyczyć przede wszystkim ćwiczeń fizycznych, dodatkowa zaleta to stworzenie społeczeństwa troszczącego się o środowisko.

Wolny dostęp do przyrody oznacza, że wszyscy odgrywamy ważną rolę w zachowaniu tego prawa, poprzez szanowanie ziemi, po której stąpamy. Ochrona środowiska stała się dla nas czymś oczywistym, ponieważ spędzamy dużo czasu wśród natury. Potrzeba utrzymywania porządku i dbania o przyrodę jest równie silna, co świadomość konieczności sprzątania we własnym domu.

Nic dziwnego, że Szwecja aktywnie promuje korzyści płynące ze zrównoważonego rozwoju, inicjatywy ekologiczne i ochronę środowiska. Od kilkudziesięciu lat znajduje się w pierwszej piątce najbardziej proekologicznych państw na świecie.

A Szwedzi to wszystko chętnie przyjmują, ponieważ zostali wychowani tak, że potrzeba dbania o naturę jest dla nich... naturalna.

DBAJ O RÓWNOWAGĘ

" Wprowadzanie drobnych zmian w naszym codziennym życiu, pozwalających oszczędzać wodę i energię, zmniejszać ilość śmieci i żyć zdrowiej, może być bardzo korzystne dla ludzi i dla planety. Życie w sposób zrównoważony nie jest niczym nowym, ale bywa trudne, kiedy jesteśmy zapracowani. Większość z nas potrzebuje pomocy, by prowadzić życia bliższe lagom.

Joanna Yarrow, szefowa działu Sustainable and Healthy Living, Grupa IKEA "

Lagom budzi naszą świadomość i zachęca, by wciąż zadawać pytania. Chce, byśmy żyli, mając poczucie celu, i byli pełni dociekliwej uważności, która wciąż kwestionuje nasze działania, poprawia styl życia, chroni to, co dla nas ważne.

Większość z nas nie ma jednak, niestety, takiego szczęścia jak Szwedzi, żyjący w systemie zaprojektowanym tak, by pielęgnować miłość do natury. Brakuje nam zachęty do wyjścia na zewnątrz, poznawania przyrody i cieszenia się nią.

Mimo to również chcemy zadbać o środowisko, mieć swój udział w pielęgnowaniu zasobów naturalnych, które nas otaczają. Chcemy odkrywać piękno natury, nie szkodząc jej ani nie niszcząc.

Jak zatem rozwijać nasze ekologiczne nawyki i czego lagom może nas nauczyć o aktywnym życiu?

Pomyślmy o tym tak, jak dorośli rozpoczynający naukę pływania albo obcego języka.

Jeśli nie mieliśmy okazji nauczyć się czegoś w dzieciństwie, później jest znacznie trudniej, ale mimo wszystko staramy się to zrobić. Zdobywanie nowych umiejętności bywa wyzwaniem. Niewykluczone, że kilka razy upadniemy, ale najważniejsze to znów wstać i ruszyć przed siebie.

Musimy więc uczyć się nowych zwyczajów, gdy próbujemy wprowadzić w życie ekologiczny sposób myślenia. A do tego potrzebni są kompetentni nauczyciele.

W 2014 roku szwedzki gigant meblowy IKEA, we współpracy z Centre for Environment and Sustainability (CES) na uniwersytecie w Surrey i brytyjską organizacją pozarządową Hubbub Foundation, rozpoczął kampanię Live LAGOM.

Ich celem jest popularyzowanie na całym świecie szwedzkich praktyk opartych na zrównoważonym rozwoju. Projekt zaczął się od dwustu współpracowników IKEA. Wręczono im talony, za które mieli nabyć produkty firmy, by wprowadzić w swoich domach bardziej ekologiczne zwyczaje.

Akcja ma pokazać, w jaki sposób małe zmiany wprowadzane w domu, takie jak ograniczenie zużycia wody, recykling czy przejście na żarówki LED, mogą poprawić jakość życia, pomagając oszczędzić pieniądze, i zmniejszyć ślad, jaki pozostawiamy za sobą w środowisku.

Mówiąc w skrócie, uczynić nas „lagomerami".

Kim jest „lagomer"?

Według projektu IKEA Living LAGOM lagomer to „człowiek, który stara się żyć w stylu lagom – wprowadzać drobne zmiany w swoim codziennym życiu, by minimalizować negatywny wpływ na środowisko, oszczędzać zasoby i cieszyć się spokojem i równowagą.

IKEA, Projekt Living LAGOM

Promując zrównoważony styl życia jako atrakcyjny i niedrogi, IKEA nieświadomie zainicjowała światowy trend, pokazując ludziom wartości lagom i praktyki ekologiczne.

Dała nam dostęp do szwedzkiego sekretu dobrego życia.

NIE MARNUJ, A NIE BĘDZIESZ W POTRZEBIE

Wszyscy słyszeliśmy pewnie kiedyś powiedzenie „nie marnuj, a nie będziesz w potrzebie". Oznacza ono, że marnotrawstwo jest często zaczątkiem niedostatku. Sposób, w jaki zarządzamy naszymi zasobami, może stać się początkiem wielkiej uczty, ale i głodu.

Wiemy już, że lagom sprzeciwia się marnotrawstwu. Chce, byśmy ograniczyli konsumpcję, byli świadomi, jak dużo zasobów wykorzystujemy, i pamiętali, by zostawić wystarczająco dużo dla innych.

Filozofia lagom promuje praktyczne i konkretne działania na rzecz zrównoważonego stylu życia. Możemy zrobić wiele małych i dużych kroków, by wprowadzić zmiany w życiu naszym i naszych społeczności.

Z łatwością damy radę ograniczyć ilość energii, gasząc światło i wyłączając nieużywany sprzęt, a już samo to zrobi wielką różnicę. W ten sposób nie tylko sami oszczędzamy, ale także przyczyniamy się do zmniejszenia zużycia energii w naszej dzielnicy, mieście, kraju, a w konsekwencji – na całym świecie.

Organizowanych jest wiele kampanii zachęcających do jedzenia „brzydkiej" żywności, na przykład zupełnie dobrych owoców czy warzyw, które niekoniecznie wyglądają tak, jak byśmy chcieli. Kupowanie organicznych, ekologicznych produktów może przynieść dodatkowy efekt – zaczniemy zwracać większą uwagę na firmy, które dbają o kwestie społeczne i problemy środowiska.

Kontrola wielkości porcji, branie tylko tego, co możemy zjeść, ogranicza ilość wyrzucanego jedzenia. Niewykorzystane produkty w puszkach możemy na przykład oddać do lokalnych banków żywności, a inne do jadłodzielni.

Okazjonalne wiosenne porządki są świetnym pomysłem. Nie tylko pozbędziemy się rzeczy niepotrzebnych, ale przy okazji zapewne odkryjemy przedmioty, które warto sprzedać lub oddać, zamiast wyrzucać do śmieci.

Większość Szwedów nie hoduje warzyw czy owoców, lagom nie zobowiązuje więc do uprawy ziół, kwiatów czy jarzyn na balkonie lub w ogrodzie, jest to jednak kolejny sposób na zrównoważone życie dla tych, którzy lubią ogrodnictwo lub chcieliby go spróbować. Hodowla roślin nie tylko pozwala oszczędzić, ale także pomaga adekwatnie uzupełniać nasze zasoby. Możemy zerwać kilka gałązek koperku czy listków mięty i użyć tyle, ile potrzeba, zamiast kupować pęczki, których dużą część zmarnujemy.

Nic nie zastąpi relaksu, jaki daje ciepła kąpiel z bąbelkami po długim, stresującym dniu. Lagom zdecydowanie wspiera robienie sobie przyjemności poprzez świadomą troskę o nasze ciało i dobre samopoczucie, chce jednak, byśmy byli świadomi, ile wykorzystujemy wtedy zasobów – w tym przypadku wody. Małym krokiem w stronę ekologii byłoby więc zmniejszenie liczby kąpieli i zastąpienie części z nich prysznicami. Nawet tak drobna rzecz ma znaczenie w walce z globalnym niedoborem wody. To samo dotyczy zakręcania kranu podczas mycia zębów.

Starając się ograniczyć marnotrawstwo, lagom kontroluje wpływ naszego stylu życia na środowisko.

PRZERABIAJ, NAPEŁNIAJ, SORTUJ

Chcąc wprowadzić w życie działania proekologiczne w naszych domach, biurach i społecznościach, możemy zacząć od pytania, czy dany przedmiot da się ponownie wykorzystać, napełnić czy poddać recyklingowi, zanim kupimy go lub zanim wyrzucimy na śmietnik. Taki sposób rozumowania powinien dominować w naszych relacjach z rzeczami, które już posiadamy i które chcielibyśmy posiadać.

W wielu sklepach i supermarketach trzeba już płacić za plastikowe i papierowe torebki, co ma zmniejszyć ilość śmieci i zachęcić nas, byśmy ponownie użyli tych, które już mamy. To prosta zmiana, którą możemy od razu wprowadzić w życie.

Szwedzki rząd postanowił zmniejszyć podatek VAT na usługi związane z naprawą, tak by powstrzymywać chęć wyrzucania i promować konserwację różnych przedmiotów, od rowerów po sprzęty domowe.

Opakowania wielokrotnego użytku mogą zmniejszyć ilość śmieci, która rośnie, gdy kupujemy mnóstwo jednorazówek. Szklane butelki na wodę zamiast plastikowych, słoiczki i buteleczki na przyprawy – te drobne zmiany mogą wywołać efekt zielonej lawiny.

Papier, metal, gumę i plastik da się wykorzystać do stworzenia nowych produktów – od opakowań po buty – recykling wspiera ten proces i zmniejsza ilość wykorzystywanych naturalnych zasobów. To samo dotyczy upcyklingu, który oznacza nadanie nowej funkcji i nowego życia już istniejącym przedmiotom. Można to zrobić poprzez proste, kreatywne projekty, takie jak przerabianie pudełek podczas robótek ręcznych albo odmalowanie zniszczonego stołu i ustawienie go w innym miejscu.

Pamiętając o tych trzech zasadach – przerabiania, napełniania, sortowania – i traktując je jak ekologiczną mantrę, możesz zmienić swoje zachowanie w drobny, lecz znaczący sposób. Cnotę tę przekażesz dzieciom, które robią to, co my robimy, a nie to, co każemy im robić.

ŚLADY, KTÓRE POZOSTAWIAMY

Wiecie, że w Szwecji nie ma już śmieci?

System recyklingu jest tak skuteczny, że niecałe 4% odpadków trafia na wysypiska, a Szwecja importuje tony śmieci z innych europejskich krajów, by zakłady recyklingu mogły funkcjonować.

Udało się to nie tylko dzięki polityce rządu. Stało się tak, ponieważ zwykli ludzie, tacy jak ty i ja, zobaczyli, jak drobnymi działaniami mogą wspierać wyższe dobro. Wszystko zaczęło się od codziennych, niewielkich zmian, które byliśmy gotowi wprowadzić w naszym życiu, by świat wokół rozwijał się w sposób bardziej zrównoważony.

Jeśli zmienimy sposób, w jaki patrzymy na ziemię i jej zasoby, i pomyślimy o tym jak o pożyczce zaciągniętej od naszych dzieci, wtedy potrzeba działania na rzecz środowiska stanie się oczywista.

PORADY EKOLOGICZNE

- Chociaż kochamy relaksujące kąpiele na koniec długiego dnia, warto zastanowić się nad tym, jak często je bierzemy. Zastąpienie części z nich prysznicami pomoże oszczędzić wodę.

- Używaj zmywarki, by myć naczynia hurtowo, zamiast robić to pojedynczo, ręcznie.

- Gaś światła i wyłączaj sprzęty, których nie używasz.

- Sortuj śmieci tak często, jak to możliwe. Puste puszki, butelki i opakowania mogą zostać wykorzystane do stworzenia nowych produktów.

- Używaj butelek wielokrotnego użytku zamiast jednorazowych.

- Przestaw się na energooszczędne żarówki LED. Wykorzystują 80% mniej energii, a świecą znacznie dłużej.

- Kupując baterie wielokrotnego ładowania, na dłuższą metę oszczędzisz pieniądze i zmniejszysz ilość odpadów.

- Dowiedz się, czym jest upcykling, zamiast bezrefleksyjnie wyrzucać różne rzeczy. Nawet rolki po papierze toaletowym można wykorzystać podczas kreatywnej zabawy z dziećmi.

- Jeśli to możliwe, pierz ubrania w 40, a nie 60 stopniach – dzięki temu zmniejszysz zużycie energii o połowę.

- Ustaw lodówkę i zamrażarkę na odpowiednią temperaturę, by oszczędzać energię.

- Obniżenie temperatury powietrza w mieszkaniu o zaledwie jeden stopień pozwala oszczędzić 5% energii.

- Zastanów się nad hodowaniem roślin. Nie potrzebujesz wiele miejsca, by uprawiać zioła: wystarczy nasłoneczniony parapet lub balkon.

- Poświęć czas, by oddać nienoszone ubrania, niechciane meble i inne przedmioty, zamiast wyrzucać je na śmietnik.

- Szukaj prostych sposobów na zmniejszenie swojego śladu węglowego, kupując energooszczędne sprzęty, narzędzia i samochody.

- Postaraj się chodzić lub jeździć na rowerze zamiast samochodem, a nawet podróżować pociągiem zamiast samolotem.

LAGOM W ZMIENNYM ŚWIECIE

LAGOM JEST NAJLEPSZY... A MOŻE JEDNAK NIE?

Stopniowo stajemy się raczej obywatelami świata niż tylko mieszkańcami konkretnego kraju czy regionu. Nasze tradycje zaczynają się zmieniać i ewoluować. Przyjmujemy pewne aspekty innych kultur, by poprawić nasz styl życia, i trzymamy się z dala od takich filozofii, które zdają się nieosiągalne lub stoją w sprzeczności z naszymi przekonaniami. Wciąż tworzymy swoją wymarzoną, doskonałą egzystencję, a osobiste refleksje uzupełniamy wzorami zaczerpniętymi od innych ludzi.

Lagom robi to samo, gdyż nie kryje się przecież w idyllicznej bańce, oderwany od reszty świata. Stara się znaleźć sobie miejsce w epoce globalizacji.

Choć lagom dąży do równowagi, popychając nas w stronę optymalnego dla nas stanu, nie jest równoznaczny z doskonałością. A to dlatego, że kuzyn jante jest doń na stałe przywiązany, ze swoją zazdrością i skłonnością do osądzania.

Skupienie się wyłącznie na zaletach lagom i wpływie, jaki wywiera na nasze życie, bez wspomnienia o tym, jak lagom funkcjonuje w zmieniającym się świecie, dałoby jednostronny, niewłaściwy obraz.

Jak wiemy z rozdziału pierwszego, w którym pisałam o tym, w jaki sposób objawia się lagom, kiedy mówimy o kulturze i emocjach, wiążą się z nim także negatywne konotacje takich słów, jak „przeciętny", „zwykły" czy „średni", choć w założeniu lagom miał nasze życie wzbogacić, pozwalając osiągać równowagę.

Lagom organizuje sposób patrzenia, działania i istnienia. Nie odnosi się jedynie do konkretnych momentów intymności i przytulności, jak duński etos hygge. Stanowi fundament szwedzkiej mentalności. Nieustannie porządkuje ogród naszego życia, usuwając niepotrzebne gałęzie i wyrywając chwasty. Zostawia tylko to, czego naprawdę potrzebujemy, i redukuje stres.

To pozytywne kształtowanie naszego życia bywa jednak często postrzegane jako unikanie ryzyka za wszelką cenę.

Nawet ironiczne przezwisko Szwecji – kraina mellanmjölk (półtłustego mleka) – ma negatywne konotacje. Kiedy nazywa się kogoś mellanmjölk, zazwyczaj uważa się go za osobę przeciętną, nieinspirującą i raczej nudną.

Nic więc dziwnego, że wielu młodych Szwedów próbuje uwolnić się od stereotypów, które niesie za sobą lagom. Kiedy już zaspokoimy wszystkie nasze potrzeby – co samo w sobie jest sukcesem – co z naszymi zachciankami?

Czy nie wolno nam podążać również za nimi, nie przejmując się, co pomyślą o nas inni?

W druku: magazyn „Lagom"

Koncepcja lagom stanowi punkt wyjścia dla tematów, które poruszamy w piśmie „Lagom". Interesuje nas zwłaszcza równowaga między pracą a życiem w świecie kreatywnych pracowników i właścicieli małych firm. Chcemy inspirować ludzi, opowiadając historie tych, którzy postanowili wziąć sprawy w swoje ręce i podążyć za marzeniami. Zarówno koncepcja lagom, jak i magazyn wpisują się w szersze dyskusje o zrównoważonym rozwoju, globalizacji i życiowym spełnieniu.

Elliot & Samantha Stocks, redaktorki czasopisma „Lagom"

O POSZUKIWANIU SZCZĘŚCIA

Kiedy nasza pewność siebie i poczucie własnej wartości są już ustabilizowane, co możemy jeszcze zrobić?

Szczytem naszych dążeń jest samorealizacja. Oznacza to, że chcemy żyć świadomie, dzielić się ze światem naszymi talentami i osobowością.

Musimy ponownie zastanowić się, jakich wzajemnych relacji chce od nas lagom w naszych grupach i społecznościach. Zaczynamy redefiniować to, co jest „stosowne", gdy działamy według lagom w kontekstach towarzyskich i biznesowych. Nasze osobiste bańki ochronne rozszerzają się i bezpardonowo wkraczają w cudzą przestrzeń.

Lagom chce przecież, byśmy realizowali swoje potrzeby, czyż nie?

Zdaje się walczyć – i przegrywać – ze światem natychmiastowej gratyfikacji promowanym przez media społecznościowe, w którym chcemy być wciąż widziani i słyszani. Wystarczy kilka sekund, by zwrócić na siebie uwagę i zaraz ją stracić. A doceniony zostaje ten, kto mówi najgłośniej, niezależnie od talentu.

Sami Szwedzi zastanawiają się nad rolą lagom jako przewodnika: wiele osób męczą ograniczenia, jakie za sobą niesie. Oni również chcą pokazywać światu z dumą swoje zdolności. Szwedzcy celebryci wyłamują się ze sztywnych ram, żyjąc tak, jak chcą. Sławni sportowcy, na przykład Zlatan Ibrahimović, mają niewiele wspólnego z lagom. Gwiazdy piosenki, jak Zara Larsson, są tak przebojowe, jak tylko można sobie wyobrazić.

W naszej pogoni za szczęściem lagom akceptuje sukces, bogactwo i sławę, usuwając z drogi kuzyna jante.

W 2017 roku Szwecja znalazła się na godnym pozazdroszczenia, dziesiątym miejscu w World Happiness Report. Wedle raportu „szczęście jest coraz częściej uważane za właściwy miernik postępu społecznego i cel polityczny".

Badając poziom szczęścia obywateli danego kraju, bierze się pod uwagę takie czynniki, jak „opieka, wolność, hojność, uczciwość, zdrowie, dochód i dobre rządy". Chociaż dziesiąte miejsce jest bez wątpienia godne uznania, Szwedzi znaleźli się niżej niż inne narody skandynawskie: Norwegowie (pierwsze miejsce), Duńczycy (drugie miejsce) i Islandczycy (trzecie miejsce). Można więc założyć, że lagom poważnie się nad sobą zastanawia.

O KREATYWNOŚCI I INNOWACJI

> „Podczas pracy nad skomplikowanym systemem o licznych funkcjonalnościach lagom pomógł mi zrozumieć jego złożoność, walcząc bezpardonowo o harmonię, równowagę, porządek i dyskrecję w każdej możliwej sytuacji.
> **Jonathan Simcoe, projektant i fotograf**"

Jeśli awersja do ryzyka niszczy kreatywność, czemu Szwecja – której kultura oparta jest na lagom – należy do najbardziej innowacyjnych krajów na świecie?

Silne środowisko start-upów zrodziło takie firmy jak Skype i Spotify, a przemysł gier komputerowych stworzył między innymi słynnego Minecrafta. Milionerzy, specjaliści od zaawansowanych technologii, podejmujący ryzykowne decyzje inwestorzy zmieniają warunki społeczno-ekonomiczne w kraju. Chociaż przepaść między biednymi i bogatymi jest stosunkowo mała w porównaniu z innymi krajami, to wciąż istnieje i stopniowo, z roku na rok, staje się coraz większa.

Szwedzka pomysłowość ma swoje źródła w tym, że nasze inwestycje, pozwalające spełniać marzenia, powinny być trwałe, ekologiczne i – skoro codziennie mamy patrzeć na to, co kupiliśmy – przyjemne dla oka.

Pomyśl o swoich ulubionych szwedzkich produktach. Często podoba nam się ich prostota, praktyczność i dyskretne piękno.

Oparte na zasadach lagom, swobodne i bezpośrednie podejście do biznesu jest inspiracją dla kreatywnego przemysłu. Poszukiwanie prostoty pomogło branży nowych technologii zredukować zawiłości na rzecz intuicyjnej sztucznej inteligencji.

Lagom nie miał nigdy oznaczać przeciętności czy zwykłości. Popycha nas, byśmy działali na optymalnym dla nas poziomie we wszystkich sferach życia. Abyśmy skupili się na naszych mocnych stronach, umieli delegować zadania i poszukiwali harmonii i równowagi w znajdowanych rozwiązaniach.

SIŁA POCHWAŁY

Jako istoty społeczne potrzebujemy siebie nawzajem.

Potrzebujemy bliskich grup i silnego systemu wsparcia. Czujemy się szczęśliwi, kiedy nasze relacje z przyjaciółmi, rodziną, kolegami są satysfakcjonujące. Ta współzależność przypomina, że nie jesteśmy sami. Pełen sympatii ciepły uśmiech czy miły gest obcej osoby może poprawić nam humor na resztę dnia.

Jeśli największą cnotą lagom jest uważność, jego największą słabością jest brak uznania dla cudzych zasług. Zrodzony z potrzeby, by nie przeszkadzać innym, zbyt wiele biorąc czy mówiąc, lagom nieświadomie zbudował mur, przez który bardzo trudno się przedostać.

Ludzie mają w naturze pragnienie uznania i informacji zwrotnej. Chcemy, by powiedziano nam, że dobrze nam idzie, że dajemy sobie radę, że mamy świetne pomysły. Lubimy cieszyć się uznaniem. Pragniemy, by nas dostrzeżono, odwzajemniano uśmiechy i pozdrowienia, chcemy poczuć się częścią jednej wielkiej, wesołej rodziny.

Chociaż lagom pielęgnuje samowystarczalność i okazywanie sąsiadom szacunku poprzez zachowywanie dystansu, minusem jest to, że rodzi również samotność i sprawia, że tracimy poczucie wspólnoty. To dlatego wielu Szwedów powoli odrzuca powściągliwość i niezdolność do wyrażania uznania, śmiało wychodząc z cienia lagom.

Rozszyfrowanie „milczenia Szwedów" bywa dla przybyszy z zewnątrz wyzwaniem, głównie dlatego, że trudno rozróżnić, czy przy okazji dzielenia się informacjami o osobistych sukcesach objawia się lagom, czy może jante. Lagom chce, byśmy ograniczali samochwalstwo, tak by oczekiwania pozostawały na realistycznym poziomie. Kuzyn jante twierdzi, że nie powinniśmy myśleć czy zachowywać się tak, jakbyśmy byli lepsi od innych.

Dla obcokrajowców, którzy często muszą ujawniać zawodowe osiągnięcia i opowiadać o sukcesach, by zyskać szacunek, te niewypowiedziane zasady są prawdziwym szokiem kulturowym.

Według agencji rządowej Statistiska Centralbyrån prawie 20% mieszkańców Szwecji ma obce korzenie. Przynosimy ze sobą różne przekonania i tradycje i uczymy się żyć obok siebie, adaptując elementy lagom.

Upodobanie lagom do sprawiedliwości i równości oznacza gościnne przyjęcie tych spośród nas, którzy uciekają przed trudnościami i niedolą. Jednak naturalna skłonność do unikania stresujących sytuacji i nieprzyjemnych rozmów tworzy wrażenie zaściankowości.

Oznacza to, że kwestie integracji, imigracji i różnorodności są obiektem gorących, trudnych dyskusji w najbardziej otwartym ze społeczeństw złożonym z najbardziej zamkniętych w sobie ludzi.

EKSTREMA SĄ KONIECZNE DLA ZACHOWANIA RÓWNOWAGI

**Nie osądzaj wszystkiego, co widzisz,
nie wierz we wszystko, co słyszysz,
nie rób wszystkiego, co możesz,
nie mów wszystkiego, co wiesz,
nie jedz wszystkiego, co masz,
nie pokazuj nikomu, co masz
w sercu i w portfelu".**

Przysłowie szwedzkie

Skoro lagom pożąda równowagi, czyż ekstrema nie są niezbędnym elementem?

Jeśli wciąż wygładzamy krawędzie naszego życia – zgodnie z zasadą „nie za dużo, nie za mało" – czy nie idziemy wtedy po linii najmniejszego oporu? Jeśli dzisiaj mam ochotę nasycić się fast foodem, a jutro zrównoważyć to lekką sałatką, czy na pewnym poziomie nie żyję zgodnie z lagom?

Problem ten pojawia się, kiedy zaczynamy łączyć lagom ze słowami takimi jak „przeciętny" lub „średni", ponieważ lagom w swej istocie oznacza optimum, idealny stan dla każdego z nas, w którym czujemy się najbardziej zadowoleni.

Jeśli łączenie szalonych podróży z leniwymi niedzielami spędzonymi na kanapie z książką sprawia mi radość, lagom mówi, że powinnam więcej podróżować i spędzać więcej niedziel na odpoczynku.

Ważne, byśmy pamiętali, że lagom zmienia postać. Może być ilościowy i jakościowy. Namacalny i niewymierny. Chce, byśmy pozbyli się nadmiaru przedmiotów czy wydatków. Jeśli jednak mówimy o jakości doświadczeń, których w życiu potrzebujemy, takich jak emocjonalna i fizyczna satysfakcja, lagom pragnie, by była ona jak najwyższa.

Lagom nie chce, żebym czuła się winna, kiedy zjem tłustego fast fooda. Nie chodzi o restrykcje i pozbawianie się przyjemności.

Lagom podpowiada natomiast, żebym była bardziej świadoma swoich emocji, ciała i samopoczucia. Chce, bym z umiarem zaspokajała zachcianki, zamiast pozbawiać się przyjemności, bym zrozumiała, jaki wpływ mają te przyjemności na inne sfery mojego życia. Mówiąc w skrócie, oznacza to zrobienie kroku wstecz, by spojrzeć z dystansu i ocenić, czy dane działanie jest w tym momencie dobrym pomysłem.

Jeśli zdecyduję, że fast food to to, czego mi potrzeba, lagom chce, bym zrównoważyła dodatkowe kalorie ćwiczeniami, by wrócić do równowagi.

Lagom zasiewa ziarnka zadowolenia i chce, by wykiełkowały z nich pąki radości i satysfakcji.

ZAPROŚ LAGOM DO SWOJEGO ŻYCIA

> „Kto jest zadowolony, jest też bogaty".
>
> **Lao Tzu, starożytny chiński filozof i pisarz**

Pokusa podążania za pragnieniami i marzeniami jest znacznie bardziej pociągająca niż spełnianie podstawowych potrzeb. Często wydaje nam się, że osiągniemy szczęście, jeśli będziemy realizować swoje pasje i agresywnie walczyć o to, czego chcemy.

Jeśli jednak dotrzemy do istoty lagom, odkrywając podstawowe potrzeby i zaspokajając je na tyle, na ile to możliwe, w najlepszy dostępny sposób, przygotujemy tym samym grunt pod poczucie spełnienia. Uwolniwszy się od bałaganu i nadmiaru, możemy skupić się na realizowaniu pasji, jednocześnie ucząc się żyć skromniej, ale uważniej.

Złożona relacja między uważnością a koncentracją dała początek lagom.

Jak wspominałam, w naszym poszukiwaniu szczęśliwego życia często uczymy się od innych kultur. Jest też wiele lekcji, których może nam udzielić lagom. Możemy też wybrać, które z nich chcemy przyjąć.

Od pierwszego spotkania z lagom, gdy etos ten pozostawał jeszcze dla mnie ukryty, ja również wprowadziłam jego elementy w życie. Połączyłam pełną energii, opartą na wspólnotowości kulturę, w której wyrosłam, z elementami lagom, które najbardziej odpowiadały mi w danym momencie.

Oto jak zaprosiłam lagom do swojego życia.

Umiem uważniej słuchać, mówię mniej i dzielę się tylko potrzebnymi informacjami, jednak zrównoważyłam to ciepłym przyjmowaniem i akceptowaniem nieznajomych.

Odrzuciłam przelotne diety na rzecz bardziej zrównoważonego i zdrowszego podejścia do sposobu odżywiania. Teraz jem rozsądnie i z umiarem. Choć może to spowolnić zrzucanie zbędnych kilogramów, żyje mi się łatwiej i szczęśliwiej.

Nauczyłam sie częściej mówić nie, a co ważniejsze, nie czuć się z tego powodu winną. Jestem też dla siebie znacznie bardziej wyrozumiała. Gdy zdarzy mi się porażka, nie czuję potrzeby natychmiastowego naprawiania sytuacji. Podnoszę się dopiero wtedy, kiedy jestem gotowa, i znajduję czas, by się o siebie zatroszczyć.

Zmniejszając liczbę ubrań, które noszę, i kosmetyków, których używam, pozbyłam się niepotrzebnego i nieuzasadnionego stresu.

Nigdy nie byłam „chomikiem", teraz więc trzymamy w domu tylko to, czego potrzebujemy i co kochamy, uważnie dobierając kolejne rzeczy.

Jeśli chodzi o dzielenie się z innymi moimi osiągnięciami, uczę się uwodzicielskiej sztuki stopniowego odsłaniania kart. W pełni zaakceptowałam ograniczenia lagom, który głosi, że nie trzeba popisywać się sukcesami ani od razu ujawniać wszystkich umiejętności.

Świadomie robię teraz dodatkowy krok w tył, kiedy mam coś zaplanować lub podjąć jakąś decyzję. W wielu sytuacjach przygotowanie jest lepsze od intuicji, chociaż na obie te cnoty jest w życiu czas i miejsce. Jednak mimo typowej dla lagom rezerwy co do konstruktywnej informacji zwrotnej i wyrażania uznania staram się, tak często, jak to możliwe, doceniać innych, gdy zrobią coś dobrego czy ważnego.

Dobrze mi się żyje w ramach moich środków finansowych. Kupuję mniej, ale inwestuję w dobrą jakość. Wyrobiłam też w sobie zdrowy nawyk oszczędzania. Poza prostymi, codziennymi działaniami na rzecz oszczędzania energii i wody przyzwyczaiłam się do sortowania, napełniania i przerabiania. Używam przedmiotów tak długo, jak to możliwe, zawsze mam przy sobie wielorazową butelkę na wodę, a recykling to w naszym domu prawdziwa instytucja.

Wplotłam najbardziej atrakcyjne nici lagom w bogatą tkaninę mojego życia i zdecydowanym ruchem zatrzasnęłam drzwi przed kuzynem jante.

Lagom nie zna odpowiedzi na wszystkie pytania. Ale jest mentalnym luksusem, który rozkwita, gdy nasze podstawowe potrzeby są odpowiednio zaspokojone.

Podpowiada, jak uwolnić się od nadmiernej konsumpcji. Czyni z nas istoty bardziej uważne, dbające o harmonię z naszym ciałem i potrzebami. Wyostrza ciekawość i świadomość, rodzi pytania, które pozwalają trafniej oceniać to, co wnosimy w nasze życie – zarówno materialne przedmioty, jak i relacje.

Chce, byśmy nieustannie kwestionowali, podawali w wątpliwość i stawali się coraz lepsi, zadając sobie proste pytanie: co mogę zrobić, by poczuć się dzisiaj zadowolonym i zrównoważonym?

Kiedy zidentyfikujemy główne życiowe zasady i priorytety, lagom chce, byśmy zabrali się do pracy, aby znaleźć się we właściwym punkcie życia, przysparzając sobie jak najmniej stresu.

Chociaż nie musimy uprawiać ziół na balkonie czy jeździć wszędzie na rowerze, by dowieść swojego zaangażowania w zrównoważony rozwój, możemy wprowadzić w życie znaczące zmiany, wybierając elementy lagom, które do nas przemawiają. Możemy zastosować te cnoty lagom, które pasują do naszego obecnego stanu ducha, i pozwolić, by te małe, ale świadome zmiany popychały nas ku równowadze, w której wszystkie ważne w naszym życiu rzeczy trafiają na swoje miejsce, ponieważ poświęcamy im wystarczająco dużo czasu. A jeśli naprawdę pozwolimy im się rozwijać, będą dla nas jak ciepły koc utkany z wygody i zadowolenia.

Oto prawdziwy szwedzki sekret dobrego życia.

Koniec końców, zbyt długo czuliśmy się nieszczęśliwi: czy nie czas na zmianę?

O AUTORCE

Lola A. Åkerström mieszkała przez długi czas na trzech kontynentach – w Afryce, Ameryce Północnej, a teraz w Europie – dlatego pociągają ją kulturowe niuanse i zawiłości oraz to, jak objawiają się one w relacjach międzyludzkich.

Ukończyła studia magisterskie w zakresie systemów informacyjnych na uniwersytecie w Maryland w Baltimore County. Przez ponad dekadę pracowała jako konsultantka i programistka, postanowiła jednak spełnić swoje marzenie i zająć się dziennikarstwem podróżniczym i fotografią, by badać różne kultury poprzez ich kuchnię, tradycję i styl życia.

Dzisiaj jest nagradzaną dziennikarką, mówczynią i fotografką, którą reprezentuje agencja National Geographic Creative. Regularnie publikuje w prestiżowych mediach, takich jak AFAR, BBC, The Guardian, Lonely Planet, Travel Leisure czy National Geographic Traveller. Więcej informacji o jej pracy można znaleźć na stronie www.akinmade.com.

Otrzymała nagrody za teksty i fotografie, przyznawane między innymi przez Society of American Travel Writers i North American Travel Journalists Association.

Poza tym Lola jest redaktorką Slow Travel Stockholm, internetowego magazynu poświęconego poznawaniu szwedzkiej stolicy (www.slowtravelstockholm.com).

Mieszka w Sztokholmie z mężem i dziećmi.

Pisze blog: www.lolaakinmade.com.

PODZIĘKOWANIA

Nikt nie jest samotną wyspą, a ta książka nie powstałaby w kształcie, jaki sobie wymarzyłam, gdyby nie wsparcie mojej rodziny, drogich przyjaciół, kolegów i współpracowników, zarówno w Szwecji, jak i za granicą. Przyjęliście mnie w waszych domach i w waszych sercach i jestem wam za to bardzo wdzięczna.

Po pierwsze, chciałabym podziękować moim cudownym dzieciom i mężowi, Urbanowi. Jest nie tylko moim ukochanym, partnerem i najlepszym przyjacielem, ale także nieformalnym nauczycielem szwedzkiego i powiernikiem, którego pragmatyzm doskonale uzupełnia moją idealistyczną naiwność.

Dziękuję profesjonalistom i ekspertom, którzy hojnie dzielili się ze mną swoimi wnikliwymi spostrzeżeniami. Byli to: Margareta Schildt Landgren, John Duxbury, Mary Jo Kreitzer, Karin Weman, Linn Blomberg, Philip Warkander, Monica Förster, Claesson Koivisto Rune, Joshua Fields Millburn, Julien S. Bourrelle, Tünde Schütt, David Wiles, Joanna Yarrow, Ingela Gabrielsson, Kjell A. Nordström, Elliot i Samantha Stocks, Julie Lindahl, Jonathan Simcoe.

Chciałabym podziękować wspaniałej ilustratorce i projektantce Sinem Erkas za jej kreatywność i piękną interpretację lagom na stronach tej książki. Dziękuję też mojej redaktorce, Grace Paul, nie tylko za to, że zaproponowała mi ten ekscytujący projekt, ale za jej wsparcie i zrozumienie podczas pracy.

Potrzeba całej wioski, by zrozumieć lagom.

"
Istnieje piękno, które trzeba podziwiać i którym trzeba się cieszyć. Światło, które trzeba schwytać i pokazać. Życie, które trzeba przeżyć. Pośród chaosu życia, w odnalezieniu lagom jest coś pięknego. Wszystko trafia na swoje miejsce. Skradzione chwile odpoczynku i równowagi. A nawet spokój.

Jonathan Simcoe, projektant i fotograf
"

Lagom: The Secret of Swedish Contentment

Wydawca: Katarzyna Rudzka
Redaktor prowadzący: Adam Pluszka
Redakcja: Joanna Kułakowska-Lis / ExLibro
Korekta: Ewa Dedo / ExLibro, Mariola Hajnus
Projekt oraz ilustracje: Sinem Erkas
Adaptacja projektu okładki: Anna Pol
Adaptacja opracowania graficznego, łamanie:
Anna Hegman

ISBN 978-83-65780-62-1

Wydawnictwo Marginesy Sp. z o.o.
ul. Forteczna 1a, 01-540 Warszawa
tel. 48 22 839 91 27
redakcja@marginesy.com.pl
www.marginesy.com.pl

Warszawa 2017
Wydanie pierwsze

Złożono krojem pisma Gill Sans

Książkę wydrukowano na papierze
Munken Print White 15 90g/m2

Druk i oprawa:
OZGraf – Olsztyńskie Zakłady Graficzne S.A.